月刊文庫 文蔵 2023.9 目次

※「闇の絵本」は休載いたします。

月刊文庫 **文蔵** 2023.9 目次

表紙デザイン・菅野はるな/本文デザイン・小林美代子

作品の

CONTENTS

インタビュー 竹宮ゆゆこ

ブックガイド

『とらドラ！』から『砕け散るところを見せてあげる』『心臓の王国』まで

読者に安易な予想を許さない、“胸熱”の作品たち——友清 哲

特集 『心臓の王国』発売記念！

竹宮ゆゆこ 魅力に迫る

「とらドラ！」シリーズや「ゴールデンタイム」シリーズなど、数多くの大ヒットライトノベル作品を生み出す一方、『砕け散るところを見せてあげる』などの作品で、今や一般文芸界でも注目を集める竹宮ゆゆこさん。

本特集では、最新作『心臓の王国』の発刊を記念して、青春小説や恋愛小説という枠組にとらわれない、圧倒的な読後感を誇る「竹宮ゆゆこ作品」の魅力に迫ります。

Interview

竹宮ゆゆこ

細い細い針を読者の中にスーッと刺していく作品でありたい

PROFILE
Takemiya Yuyuko
1978年東京都生まれ。2004年「うさぎホームシック」でデビュー。
著書に、「わたしたちの田村くん」「とらドラ！」「ゴールデンタイム」などのシリーズのほか、長編小説に『砕け散るところを見せてあげる』『知らない映画のサントラを聴く』『あなたはここで、息ができるの？』『いいからしばらく黙ってろ！』『心が折れた夜のプレイリスト』『あれは閃光、ぼくらの心中』などがある。

「とらドラ！」シリーズや「ゴールデンタイム」シリーズなど、数々の作品でライトノベル界を席巻し、近年は一般文芸の分野でも存在感を発揮する竹宮ゆゆこ氏。待望の新作『心臓の王国』は、二人の高校生を物語の中心に据えたオフビートな青春ブロマンス（男性同士の熱い友情物語）だが、読者の予想を大きく裏切る終盤へかけての怒濤の展開が、早くも巷の話題を攫っている。創作の背景を直撃した。

“献身の物語”を突き詰めてたどり着いた物語

――最新作『心臓の王国』は五〇〇ページ超の大作という点もさることとな

取材・文＝友清 哲

がら、青春小説のようでいて、決してその枠に収まらない世界観と展開に圧倒されました。まずは今回の着想から聞かせてください。

竹宮　以前、『あなたはここで、息ができるの？』という作品を書いた時に、尊敬する作家さんから「これは献身の物語ですね」というお言葉をいただいたことがありました。この表現がすごく心に残っていて、振り返ってみれば確かに私の作品はどれも〝献身の物語〟に当てはまることに気づかされたんです。

たとえばボーイミーツガール的な出会いが最初にあって、相手が助けを求めていることに気づき、いろんなことを犠牲にしながらその人のために動く

――といった流れは、私の中では黄金パターンなのだと思います。それを端的に見抜かれたことで、余計に意識してしまうようになり、だったら正面から向き合って〝献身の物語〟を突き詰めてみようと考えたのが、今回の作品の始まりでした。

――それまでは無自覚にその黄金パターンを踏襲（とうしゅう）していた、ということですか。

竹宮　そうなんですよ。献身ってやはりロマンチックですし、美しいじゃないですか。下心ではなく純粋な気持ちで相手を助けたくなる心情というのは、ハッピーエンドになる必然性のようなものがそこにはあると思います。

では、なぜ自分はそういうヒロイン

を助ける系の物語が好きなのだろうと考えてみると、これが誰から教わったものなのか、何から影響を受けたものなのか、よくわからなくて。その答えを見つけたいという気持ちが、『心臓の王国』の起点になっています。

――高校生の青春ブロマンスという設定は当初からのものですか。

竹宮　それが、もともと担当編集者と話していたのは、実はゾンビ物だったんです（笑）。人々がゾンビ化する世界の中で、バタバタと慌ただしく蠢く群像劇をポップに描けないか、というのが最初のアイデアでした。当時はコロナ禍の真っ只中で、世の中が異常な雰囲気に包まれていましたから、それを逆手にとって非常事態の中でもしぶとく、面白く生き延びる人々の姿が描けないか、と。

――最初の構想とはかなり違う物語になりましたね（笑）。

竹宮　ゾンビについて熟考するうちに、ゾンビというよりも、ゾンビを形成する「人体そのもの」について深く考えるようになり、そこで思いがけないアイデアに行き当たったんです。そのアイデアをもとにお話を考えていったら、高校生を主人公にしたキラキラな青春をベースにしようと、あっさり方向転換することになりました（笑）。

――今回とりわけ印象的なのは、非常にリアルで生々しい高校生男子の生態が、たっぷりと描写されていることです。ネットスラングをそのまま用いるなど、前衛的な手法と相まってとても現代的な世界観でした。

竹宮　といっても、私自身は彼らとだいぶ世代も異なりますから、すべては頭の中で創り上げたファンタジーですけどね。ただ、鋼太郎（こうたろう）については主人公なので、作者として最も長くお付き合いすることになりますから、私自身が好きになれる、書いていて楽しい人物にしなければならないと考えました。そこでピンときたのがお兄ちゃんキャラでした。妹から見て強くてかっこいいお兄ちゃんです。

――一方、転校生として登場する神威（かむい）のキャラクターも実に個性的です。「せいしゅん」に憧（あこが）れる謎の美青年は、ミステリアスですが愛らしい存在でした。

竹宮　神威はいわば、鋼太郎を〝壊す〟ための存在として設定したキャラクターでした。鋼太郎の妹からすると、強くてカッコいいお兄ちゃん像を崩（くず）したり、理不尽な別離によって鋼太郎自身を壊したり。神威もまた、長く付き合うために私が書いていて楽しい人物像に仕上げることができました。

青春譚から一転、圧倒的に不穏なラストシーンへ……！

――五〇〇ページ超の大作ですが、一切読み飽きさせません。リーダビリティの秘訣は何でしょう？

竹宮　強いて挙げるなら、コメディ部分に手を抜かないこと、でしょうか。青春コメディのようなノリとテンポで進みながら、最終的には全く違う展開にすることは決めていましたから、なおのこと前半は一〇〇パーセント明るく描き切ろう、と。彼らのバカバカしい日常シーンを描く際は、私もゲラゲラ笑いながら書いていますから。もっとも、突然暗転させると読者の方をびっくりさせてしまうので、所々に不穏な描写を交えて少し匂わせてはいるんですけどね。

――まさしくその、序盤と終盤の展開の落差こそが、本作最大の妙味だと思います。ネタバレを避けながら、構成の苦労をお聞きしていいですか。

竹宮　これはもう、万人ウケする類いのものではないと覚悟はしていますす(笑)。書いている最中から、「これはたぶん、大半の人には受け入れてもらえない」と思っていましたし、こうして本が刷り上がったいまでも、評価は良くて五分五分だろうとビクビクして

『あなたはここで、息ができるの？』
新潮文庫nex
定価：572円

『あれは閃光、ぼくらの心中』
文春文庫
定価：935円

います。

ただ、日頃から私が意識しているのは、細い細い針のようなものを読者の体の中にスーッと刺していくような作品でありたいということです。針が細過ぎて、差し込まれている側はそれに気づかないままどんどん奥深くまで入り込んでいくのだけど、その針にはかえしが付いているので、ラストにそれを一気に引っこ抜くと、読者の心に少なからず何らかの爪痕（つめあと）が残る、という物語ですね。今回の終盤の展開はまさにそのイメージでした。

——言い得て妙です。読者の方にはぜひ、徹頭徹尾（てっとうてつび）この物語を味わい尽くしていただきたいですね。

竹宮　実は今回、約二〇年に及ぶ作家人生の中で初めて、予定していたラストシーンを執筆中に変更しているんです。これまでは最初に決めたプロットの通りに書き上げてきましたが、今回だけは「果たして、この結末で読者にもう一度読み返したいと思ってもらえる作品になるのだろうか」と疑問が生じました。結果的にそれが正解だったのかどうかは、読者の皆さんに委ねたいと思います。

――そして読み終えたあとにあらためて冒頭の序章に立ち返ってみると、背筋がゾクリとする感覚を味わえます。

竹宮　そこは私のいやらしい部分というか、下心ですね(笑)。ぜひ、多くの方にそのゾクリを体験していただきたいです。

――最後に、本作をどのような読者に届けたいか、メッセージをいただけますか。

竹宮　この作品は、昨年の十月くらいから執筆を始めて、本当に大晦日も正月もなく、一日も休まずに書き続けた物語です。少し休もうと他のことをやり始めても、どうしても物語が気になって頭から離れず、時に息苦しい想いをしながら書き上げました。そうしてひとつの作品に没頭できるのは私にとって無上の喜びでもあり、その意味では誰よりも先にこの物語に夢中になったのは私なのかもしれません。ぜひこの喜びを多くの読者の皆さんと共有させていただきたいですね。

PHPの本

心臓の王国

竹宮ゆゆこ 著

だから俺は決めてた。
十七歳になれたら
『せいしゅん』するって！――
爆笑、号泣、戦慄……
最強濃度で放たれる、
傑作青春ブロマンス！

ブックガイド

『とらドラ!』から『砕け散るところを見せてあげる』『心臓の王国』まで

読者に安易な予想を許さない、〃胸熱〃の作品たち

文・友清 哲

一般文芸としては節目の十作目となる『心臓の王国』で、あらためてその実力と際立つ存在感を見せつけた竹宮ゆゆこ。その足跡を振り返ってみれば、ライトノベル時代の素地がしっかりと生かされながら、それでいてより幅広い読み手に向けて題材をエンターテインすべく、世界観を広げてきた軌跡が見て取れる。本稿ではこれまでのキャリアをトレースしながら、その独特の筆が持つ魅力の真髄に迫りたい。

幼少期から文章を書くことに馴染みがあったことを随所のインタビューで明かしている竹宮ゆゆこが、本腰を入れて小説を書き

始めたのは大学院時代のことだという。なお、学生時代の専攻は刑法であったそうだから、その後の作家生活にこじつけて想像するなら、これは人や物事の善悪に関して熟考する、土台作りの期間でもあったかもしれない。

令和の時代にも読みつがれる『とらドラ！』

最初の作品が世に送り出されたのは二〇〇四年。ライトノベル系の新人賞にたびたびトライする傍ら（かたわ）、最初の成果は小説ではなく美少女ゲームのシナリオであった。いかにもライトノベルと親和性を思わせる出自（しゅつじ）だが、同年、『電撃hp SPECIAL』誌に『**わたしたちの田村くん**』の第一話が掲載されたことが、彼女にとっての作家デビューの瞬間ということになる。

全二巻にまとめられている同作は、雪貞（ゆきさだ）という男子が小巻（こまき）と広香（ひろか）、二人の少女に惹かれながら過ごす〝中学生活最後の夏〟から高校生活までを、時にユニークに、時に切なく描いたラブコメディだ。

『わたしたちの田村くん』
電撃文庫
電子あり

一目惚れした小巻が転校してしまった後、高校でクラスメイトになった広香に惹かれ始める雪貞だが、そんな時に小巻から届いた手紙に想いが再燃、悩み悶えながら二人の少女との関係に翻弄される様子は、まさに思春期のあるべき姿。

何より特筆すべきは、今日の作風にまで通ずるキャラクター造形の妙味だろう。小巻が学校の進路調査票に「故郷の星に帰る」などと書いてしまう不思議系少女なら、広香は絶世の美女でありながら他人を寄せ付けない他称・ツンドラ女王と、実にエッジが効いている。

それでいて、二人のヒロインがそれぞれ訳ありの背景を抱えている点が物語に重心を与えているのも特徴で、そうした深みが早くも後の一般文芸進出を予感させもする。竹宮ゆゆこの原点に相応しい世界観と言っていいだろう。

ライトノベル時代からのファンにとっては、『とらドラ！』こそが今なお竹宮ゆゆこの代表作であるとの主張も少なくないはずだ。初出は二〇〇六年ながら、アニメ化を経て令和の今も読まれ続けている事実を見れば、確かにそこに異論の余地はなさそう

『とらドラ！』
電撃文庫
定価：693円

だ。

こちらも高校を舞台としたラブコメディで、タイトルは登場人物である逢坂大河のあだ名「手乗りタイガー」と、高須竜児の「竜」に由来するもの。ごく普通の男子高校生でありながら、生来の目つきの悪さから不良に見られがちな竜児と、小柄ながら極めて凶暴な性格で周囲から恐れられている女子高生の大河、二人の出会いが物語の起点となるのだが、その邂逅がふるっている。

密かに竜児の親友に想いを寄せていた大河はある日、意を決してラブレターをしたためるが、その手紙を誤って竜児のカバンに入れてしまう。慌てた大河は手紙を取り戻すため、深夜に竜児の家に忍び込むが、一方で大河の親友に惹かれていた竜児と、真夜中に意気投合。二人は恋愛成就のための共同戦線を張ることとなるのだが――。

夏休みや文化祭、クリスマスなど、高校生らしい甘酸っぱいイベントを次々に消化しながら、多彩な登場人物たちの心理が臨場感たっぷりに描かれるこのシリーズ。彼、彼女たちの心理的成長にも着目しながら物語を楽しんでほしい。

大人の主人公たちが織りなす独特の世界線に刮目（かつもく）！

こうしてライトノベルの分野で一時代を築き上げた竹宮ゆゆこだが、デビュー十周年の二〇一四年に一般文芸に進出。そのセカンドステージの第一歩である『**知らない映画のサントラを聴く**』もまた、らしさ全開の〝ボーイミーツガール〟の物語ながら、主人公の錦戸枇杷（にしきどびわ）は二十三歳と大人の女性であるのが新鮮味のひとつだ。

歯科医の娘という恵まれた環境に甘んじて、職に就くことなく実家にパラサイトしている枇杷は、夜な夜な便所サンダル姿でセーラー服を着たコスプレ男を探して住宅街を彷徨（さまよ）っている。なぜなら、そのコスプレ男が自分にとって何よりも大切な一枚の写真を奪った犯人であるからだ。

そんな出だしからしていかにも奇妙だが、ひょんなことから枇杷がその女装男と同棲（どうせい）することになるという、斜め上の展開が読者の興味を惹きつける。そこにあるのは恋愛小説的な要素だけで

『知らない映画のサントラを聴く』
新潮文庫
電子あり

なく、根底に流れる〝贖罪〟の概念がこの物語をいっそう忘れ難いものにしている点も見逃せない。竹宮ゆゆこが紡ぐ世界は、一般文芸においてもやはり一筋縄ではいかないのだ。

　続く**『砕け散るところを見せてあげる』**（二〇一六年）は、映画化もされた話題作。主人公の濱田清澄は大学受験を控えたある日、後輩の女子生徒、蔵本玻璃がいじめに遭っているシーンに遭遇する。「やめろ」と割って入る清澄だったが、そんな彼に対して玻璃は、「ああああああ！」と激しく絶叫する。

　校内一の嫌われ者として孤立する玻璃に、かつて孤独を味わった自身の体験を重ね合わせた清澄はその後、クラスで机を蹴倒され、トイレで上から水をかけられ、掃除道具入れに閉じ込められる彼女を、その都度助けに向かうことになる。やがて心を開き始めた玻璃は、清澄に「私も強くなって、【UFO】を撃ち落としたい」と言うのだった。

　彼女の言うUFOの正体とは何か。それが意味するものを読み手が理解する時、この物語が孕んでいる事件が明らかになる。単なるボーイミーツガール小説ではない驚きを、存分に味わってほ

『砕け散るところを見せてあげる』
新潮文庫
定価：693円

しい。

『**おまえのすべてが燃え上がる**』（二〇一七年）もまた、実に印象的な作品だ。ある金持ち男性の愛人として贅沢生活を謳歌していた樺島信濃だが、事実を知った正妻が包丁を片手に乗り込んでくるシーンから物語は幕を開ける。命からがら逃げのびた彼女だが、住居を失い、アルバイト生活を送るはめに。しかし、キックボクシングジムの受付業務では十分な生活費は賄えず、かつて貢いでもらったブランド品を売って、どうにか糊口をしのいでいた。

　そんなどん底の生活の中、信濃の前に現れたのが、弟の睦月と過去に二度も離縁した元彼、醍醐健太郎だった。彼らと過ごす時間は安息の地ではあったが、心のどこかでそれが仮初めのものであることも理解していた信濃。ユーモアたっぷりな筆致の向こう側には、二十代後半に差し掛かった女性の人生に対する迷い、悩みが大いに透けて見えていて、彼女の顛末から目が離せない。

　一人の駄目な女性の生き様を通して、読み手であるこちらの将来、夢、展望がまさに「燃え上がる」ように感じられたのは、筆

『おまえのすべてが燃え上がる』
新潮文庫
電子あり

者だけではないはずだ。

最新作『心臓の王国』が新たなステージへの入口に⁉

一般文芸シーンにおいてもいよいよ本領を発揮し始めた竹宮ゆゆこ。二〇一八年に発表された『あなたはここで、息ができるの？』は、ジャンルで括れば恋愛小説であることに間違いないのだろうが、トリッキーな設定と手法が、やはりこの作品を独特な物語に仕立て上げている。

主人公はアリアナ・グランデになりたい二十歳の女子大生。だが物語の冒頭、彼女は交通事故に遭って死にかけている。草むらで横たわる彼女は明確に死を意識し始めるが、そこで登場するのが「宇宙人」だ。

宇宙人はその世界の終わりを避けるよう、時間を巻き戻すことができるという。そう、この物語は近年流行りのタイムリープ物なのだ。

そこで青春時代をやり直そうと、何度もループを試みる彼女だ

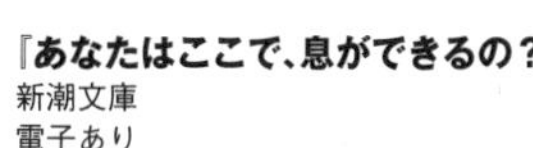
『あなたはここで、息ができるの？』
新潮文庫
電子あり

ったが、もちろん今回も一筋縄ではいかないギミックが用意されている。技巧とアイデアを凝らした構成は、これ以上の解説が致命的なネタバレに通ずるリスクを孕んでいるため、とにかく一読をお勧めするほかない。そして、最後まで読み終えたあとにあらためてタイトルが持つ意味に立ち返り、竹宮ゆゆこの凄みをまざまざと感じてほしい。

『**いいからしばらく黙ってろ！**』（二〇二〇年）は、主人公の龍岡富士がひょんなことから弱小劇団「バーバリアン・スキル」の運営に携わることになり、劇団が抱える様々な問題と対峙する青春の物語だ。

上には双子の姉兄が、下には双子の弟妹がいる、少し変わった兄弟構成ながら裕福な環境で育った彼女だったが、許婚に婚約を破棄されたことで人生の雲行きが怪しくなる。本来であれば、親の会社に就職して無難で安泰な生活を送るつもりでいたものの、いまとなっては気まずくて地元に帰ることもできない。

そんなある日に出会った「バーバリアン・スキル」のクセの強い面々。彼らが次々に巻き起こす〝カオス〟な問題を前に、富士

『いいからしばらく黙ってろ！』
角川文庫
定価：1,100円

が持ち前のスキルを発揮して解決する様子は痛快そのものであり、他方では小さな劇団員たちが舞台に夢を賭け、必死の思いで公演を成し遂げようとする姿は時に感動的だ。これまでの多くの竹宮作品に通底するという〝献身〟の妙味が、この物語からもしっかりと感じ取れるに違いない。

『あれは閃光、ぼくらの心中』（二〇二二年）は、音大付属の中学に通う十五歳の少年・嶋幸紀と、ホストの弥勒のおかしな同居生活を描いた物語。

それまでピアノ一筋で生きてきた嶋だが、ピアノの試験に失敗してしまったある冬の夜、その道が閉ざされてしまうかもしれない恐怖に苛まれ、家出をしてしまう。絶望感を携えながら自転車を走らせていると、道に迷った挙げ句にヤンキーに追いかけられ――、わけもわからないまま救い出されるように出会ったのが、二十五歳のホスト・弥勒だった。

少年院にいた経験もあるという弥勒は、嶋にとって明らかに毛並みの異なる人種だった。しかし、彼のもとで心を休めるうちに嶋は、やがて少しずつ前を向き始める。世代も立場も違う二人の

『あれは閃光、ぼくらの心中』
文春文庫
定価：935円

笑える掛け合いはいつもの竹宮節そのもので、弥勒もまた、嶋を必要としている構図には、たびたびほろりとさせられる。著者が「自分の好きなものを全部詰め込んだ、集大成的作品」というのも納得の一作である。

そして最後に、今夏に発表された最新作、**『心臓の王国』**についても少し触れておきたい。この作品が生まれた背景については別掲のインタビューに詳しいが、鬼島鋼太郎（きしまこうたろう）とアストラル神威（かむい）、二人の高校生男子を中心とする「せいしゅん」の物語は、五百ページ超というボリュームも手伝ってとにかく読み応（ごた）えがある。

予測不能な言動で周囲を唖然（あぜん）とさせがちな転校生の神威と、つき纏（まと）う彼を疎（うと）ましく思う鋼太郎の構図で始まる物語では、笑いあり、笑いあり、そして時折涙ありの展開の末に、両者が徐々に絆（きずな）を強めていく。

生々しくもリアリティあふれる高校生男子の日々のくだらなさがとにかく楽しく、だからこそ神威の陰にちらつく何らかの秘密が、そこはかとない不穏を感じさせもする。そして神威が抱える恐ろしい秘密が明らかになった時、この物語は様相を一変させる

『心臓の王国』
PHP研究所
定価:2,090円

のだ。結末に読者を待ち受けるのは、滅多に味わえない読書体験であることを約束する。

以上、駆け足で竹宮作品のこれまでを追ってきたが、すべての物語に通底するのは人間味あふれる魅力的なキャラクターたちだろう。

恋心を燻(くすぶ)らせ、友情に胸を熱くし、夢に向けて邁進(まいしん)する。そして個性豊かな面々を、安易な予想を許さないストーリーテリングにキャストする手腕。ライトノベル時代からエンタメシーンを席巻してきた竹宮ゆゆこの筆は、『心臓の王国』によってさらに研(と)ぎ澄まされたようにも見える。

こうなると、今後どのような世界が彼女の筆から飛び出すことになるのか、興味は尽きない。今後の活動を、楽しみに見守ろう。

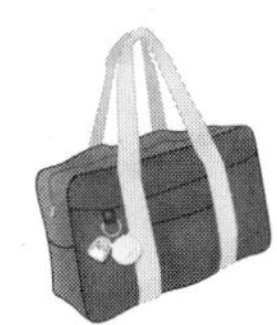

おいち不思議がたり

誕生篇 第一回

あさのあつこ

Asano Atsuko

風鈴の音

ひとしきり降った雨が止んだ。

通り雨というやつだ。

黒雲が広がったかと思うと、ばらばらと音が聞こえるほど大粒の雨が降り出した。雨脚は瞬く間に強くなり、地を叩き、そして、あっさりと上がってしまった。

江戸っ子の気性のような雨だ。

おいちは慌てて取り込んだ洗濯物を抱え込み、ほっと一息、吐き出す。窓の障子が仄かに白く明るんでいるから、雨に代わって光が注ぎ始めたらしい。そういう気紛れな変わり方も江戸っ子気質に似ている。とはいえ、おいちが住んでいるのは、本所深川六間堀町の菖蒲長屋と呼ばれている裏店だ。窓といっても、荒い格子の内に小障子を嵌めただけの代物に過ぎなかった。それでも有ると無いでは大違いで、明るさも風の通りもかなりよくなる。

その窓を開け、空を見上げる。目の前には隣の商家の塀がせまっているけれど、ありがたいことにさほど高くなく、時刻によっては日が差し込んできたりする。

思った通り、雲が割れ、青空が覗いていた。雲が黒く重々しいだけに、細い割れ目の鮮やかな青が目に染みる。降りてくる光も、さっきまでの剛力な熱さはなかった。もうすぐ夕暮れ時だ。このまま、涼やかでいてくれたら助かる。

おいちは、そっと自分の腹を撫でた。夏が過ぎ、秋が行き、冬が始まるころ、赤ん坊が生まれる。今度の戌の日に帯祝をすると決まっていた。決めたのは、伯母のおうただ。八名川町の紙問屋『香西屋』のお内儀だった。『香西屋』は大店ではないが、主の藤兵衛が商才に恵まれ、手堅く商いを回していた。つまり、かなりの財持ち、分限者なのだ。

おうたは、おいちの亡くなった母お里の姉に当たる。子はいない。「おいち、おまえはね、あたしにとってたった一人の姪っ子で、娘みたいなもんなんだよ」と、おうたは常々、口にしていた。昨日は、その後「あたしはね、お里が亡くなるときに約束したんだ。おいちのことは心配しなくていい。あたしがきちんと育てるからって。間違っても、いいかげんで、とぼけてて、極め付き変てこな男に任せたりしないからね、って。お里は、安心したように笑ったよ。何も言わなかったけど、きっと心の内で『姉さん、お願いします』と手を合わせていたはずだよ」と続けた。

えっ、母さん、安心して笑ったんじゃなくて、苦笑したんじゃないの。

それこそ心の内で呟いてみたけれど、口には出さない。伯母は思い込みが強くて、口煩くて、ときに、腹も立つしうんざりもする。でも、幼いころから何くれとなく世話を焼き、細やかに面倒を見てくれた。たっぷりと慈しみを注いでくれた。本気で支え、励ましてくれた。心底からありがたいと感じている。

ただ、童のころならいざしらず、おいちは既に所帯を持ち、間もなく母親になる、つまり、一人前の大人だ。全てに一人前ですと胸を張れるかどうか、正直、自信はない。でも、童のようにあれこれ世話を焼いてもらわなくても、何とかやってはいける。おうたもわかってはいるのだ。わからないほど鈍くはない。わからない振りをするほど姑息でもない。その場凌ぎの誤魔化しを、伯母は毛虫や油虫よりも嫌う。

一月も前だったか、「昔取った杵柄というか、おまえの顔を見たらついつい口出し手出しをしたくなっちゃうのさ。改めなきゃってわかっちゃいるんだけどねえ」と、真顔でため息を吐いたことがあった。おいちは、うんうんと適当に頷いていたが、亭主の新吉はおうたに負けない真顔で、

「え、お内儀さん、〝昔取った杵柄〟ってのはちょっと使い方が違いやしやせんか」

などと突っ込んだ。父の松庵もよせばいいのに、「そうそう、明らかに間違ってますな。姉さんの晴れ着姿を見て『馬子にも衣装ってやつですな』と言うのと同じじゃないですか。あれ？　これは間違ってないかな」と、余計な口出し

『おいち不思議がたり』シリーズ
これまでのあらすじ

主人公のおいちは、江戸深川の菖蒲長屋で医師である父・松庵の仕事を手伝っていた。いつか父のような医者になることを夢見て。おいちが他の娘と違うのは、この世に思いを残して死んだ人の姿が見えること。そんなおいちに、友の死、出生の秘密に関わる事件など様々な事件が降りかかる。

岡っ引・仙五朗とともに事件解決にあたってきたおいちは、女性のための医塾に通うことになり、飾り職人の新吉と結婚もし、新たな一歩を踏み出す。

悩みながらも強く生きたいと願う娘おいちの成長を描いた、人気の青春「時代」ミステリー。

をしてくる。

「はあ？　ちょっと松庵さん。何を着ても、信じられないほど似合わないあんたにだけは言われたくないね。あんまりむさくるしいから、表通りを歩いてたら狸と勘違いされて撃たれるんじゃないかい。ほんと、誰かがズドンとやってくれたら、すっきりするのにねえ」

「いやいや、義姉さんの猪振りには負けますよ、あははははは」

このあたりで、おいちは二人の間に割って入るか、放っておいて自分だけ退散する。このところ、放っておくことが多くなった。伯母と父は、顔を合わせればこの調子で言い合い、からかい合っている。それで、楽しんでいる。お互いに相手の美点も欠点も知り尽くしたうえで、楽しんでいるのだ。わかっているけれど、二人のやりとりに巻き込まれるのは厄介でしかない。なので、早々に逃げることにしている。これも大人の知恵というものだろう。

ちなみに〝いいかげんで、とぼけてて、極め付き変てこな男〟というのは、言うまでもないが松庵のことだ。この菖蒲長屋で、長年、医者をやっている。おいちは、その父の許でずっと助手を務めていた。

変てこなところは……あるかもしれない。身形は構わないし、算盤勘定もほとんどできない。面倒くさがって、湯屋には三日に一度しか行かないし、治療中や薬草を調合しているときは誰が何を言っても返事をしないことがある。わざと黙っているのではなく、本当に聞こえていないのだ。夢中になると周りの声にも音にも気付かないみたいだ。変てこなところはある……かもしれないではなく、確かに、ある。しかし、医者としての松庵の姿に、おいちは憧れている。その技も心意気もあますところなく学びたい、受け継ぎたいと望んでいる。父のような医者になるために努めると決めている。だから、

「伯母さん、いつものことだけど、父さんに対して厳し過ぎない。父さん、確かにいいかげんなところもとぼけたところもあるけど……そんな、無茶苦茶に変てこじゃないわ」

娘としても助手としても、一応、伯母の過言を諫めるのだ。

おいちの控え目な諫言をおうたは鼻の先で嗤った。

「ふふん。馬鹿をお言いじゃないよ。無茶苦茶変てこですよ。おまえはね、松庵さんに毒されて、あの変てこさがわかんなくなってんだよ。ほら、悪臭の中にずっといると鼻が馬鹿になって、臭いがわからなくなるだろう。それと同じさ。あたしとしちゃあ、お里がその臭いに気が付かなかったってのが、無念で仕方ないんだよ」

「伯母さん、ほんと口が悪いよね。だいたい、伯母さんだって母さんと父さんが夫婦になるの反対しなかったんでしょ。むしろ、喜んで、ぴょんぴょん跳び回って

たって聞いたけどな」

「誰に聞いたんだよ」

「父さんよ。『あのころは、義姉さんも優しくて、愛想も良くて、痩せてた』って。だから身軽にぴょんぴょんできたんだって言ってた」

今、どすんどすん跳ばれたら、うちの床が抜けちまうなとも言ったが、さすがに、そこは口をつぐんでおく。

「痩せようが肥えようが、あたしの勝手だよ。それに、あたしは兎じゃないんだ。ぴょんぴょん跳んだりしないさ。全く、どこまでもいい加減な男だよ」

「でも、喜んだのは事実でしょ」

「そりゃあ、まあ、何というか、松庵さんでも立派に見えたんだよ。あたしも若くて人を見る目がなかったんだねえ。松庵さんのことを長崎の遊学から帰ってきた医者で、御典医も夢じゃないと信じてたのさ。それがどうだい。驚くなかれ、裏長屋の町医者だよ。患者は貧乏人が大半で、医者もその患者に負けないほどの貧乏人で、金儲けの才覚なんて薬にしたくてもなくて、ほんとうにもならないね。あたしとしちゃあ、揚壺を食らった気分だよ。すっかり騙されちまった。騙された自分が情けなくて、哀れで、泣きたくなるよ」

「薬なら、百味簞笥にたんとあるけどね」

おいちの冗談に、おうたはにこりともしなかった。その代わりのように、鼻から息を吐き出した。

「まっ、変てこ男のことなんて、どうでもいいよ。ところで、おいち、次の戌の日でいいね」

「え？　戌の日って何かあるの。伯母さんが生まれた日？」

「ふざけているのは松庵さんのご面相だけにしておくれ。戌の日の度に生まれてたら、江戸中、あたしだらけになっちまうじゃないか」

「そうだよね。そんなの御免だわね。伯母さんは一人で十分よ。で、戌の日って？」

「帯祝いに決まってるだろ。そろそろ五月じゃないか。腹帯をしなきゃいけないころだよ」

「きゃっ」

思わず叫んでいた。思いの外、声が大きくて、おうたが顔を顰めている。

「何だよ、その大声は」

「だって、びっくりしちゃって。腹帯って、あたしが巻くんだよね」

「当たり前だよ。松庵さんや新吉が巻いてどうすんだい。まったく、おまえまで、変てこなおとぼけにならないでおくれよ。松庵さん一人でも手を焼いてるのにさ」

おうたが、長いため息を漏らす。

「そうはいうけど、ほら、あたしって悪阻とかほとんどなかったでしょ。普段と変わらないから、ついつい、自分が身重だって忘れちゃうの。それが、急に帯祝いだなんて……何だか、ちょっと恥ずかしくて。お面の上から化粧をするみたいな気持ちになっちゃうよ」

「どんな気持ちだよ、それは。わけのわからない譬えをするんじゃないよ。おまえね、身重だってことを忘れるなんて、さらっと言うけどさ、それがどれくらいありがたいことかわかってんのかい。おまえの赤ん坊は五月まで無事に大きくなってくれたんだ。母親に苦労を掛けないでね。ほんとに、ありがたい話じゃないか。親孝行の極みだよ」

「あ……うん」

言われてみればその通りだ。

不意に、おいちは亡き友を思い出した。同じ町内、六間堀町の呉服問屋の娘だったおふねだ。七つの歳に手習いのお師匠さんのところで知り合った。見た目も性質も、ふんわりと丸く優しいおふねが、おいちは大好きだった。もう一人の友人、お松と三人連れ立ってお花見にも祭りにも紅葉狩りにも行った。屋台で甘酒を飲んだり、玉蜀黍を齧りながら歩いたりした。おふねもお松も、おいちの子ども時代を鮮やかに彩ってくれたのだ。思い出すと、今でも懐かしくてたまらなくなる。

おふねは十七歳のとき亡くなった。死産が因だった。

おふねの死の床には血の臭いが満ちていた。今のおいちには馴染みの臭いだ。人を生から引き剝がし、死へと引きずり込む臭いでもある。

「おいちちゃん」。死の間際でおふねが自分を呼んだ。あの声をまだ忘れてはいない。一生、覚えている。忘れることなどできない。

おいちは束の間目を閉じ、帯の上をゆっくりと撫でた。

「帯祝いってのはね、一山越えたって祝いなんだよ。ここまでくれば赤子が無事に生まれてくる見込みが高くなる。よく育ってくれた、これからも無事に大きくなっておくれ、そして、どうか安産でありますようにって祈るためのものじゃないか。これを疎かにしちゃ罰が当たるよ。わかってるね」

「罰って、だれが当てるのよ」

「え、そりゃあ……あちこちじゃないか」

「でも、長屋のおかみさんは帯祝いなんて、わざわざしないよ。晒は巻くだろうけど、巻いてお終いじゃない。周りの気の利いた人が、おかずを一品届けるとか、『おめでとう』って声を掛けるか、せいぜいそれぐらいよ」

「おいち！　だから、おまえは、あたしの姪なんだ。長屋の住人と一緒にするんじゃないよ」

「だって、伯母さん。あたし……」

おうたの睨みに気圧されて、おいちは身を縮めた。

おいちは物心ついたときから、ずっと長屋に住んでいる。亭主の新吉も飾り職人で、今でも、奉公先の店に通いを続けている。親方をして「新吉は、とっくにおれを超えてるぜ」と唸らせたほどの腕前だが、いつかは表店の主人になんて望みは持っていそうにない。つまり、ずっと裏店暮らしのままかもしれないのだ。一緒にするもしないもない。〝長屋の住人〟そのものなのだ。一生、長屋の住人であっても、おいちには一欠片の不満もなかった。心身に馴染んだ場所で、自分が選び、自分を選んでくれた男と生きる。贅沢とは縁がなくても、いや、ある意味すばらしく贅沢な暮らしではないか。

「と・も・か・く、今度の戌の日に帯祝いをするからね。もちろん、場所は『香西屋』の座敷さ。膳の用意もお任せな。新吉にもそう伝えておきなさいよ」

「え、新吉さんも一緒じゃないと駄目なの。ただ、腹帯を巻くだけでしょ」

「おまえは、どこまで物知らずなんだい。腹帯ってのは亭主が巻き役をするものなんだよ。赤子は夫婦二人で育てるものだからね。父親が関わらないで、どうすんのさ」

「あ、なるほど一理あるね。じゃあ、新吉さんと父さんと兄さんにも声を掛けとく。うわっ、お膳楽しみ。伯母さん、あたし、捏ね煮が食べたいな。尾頭付きの鯛とか出る？　あ、そんなご馳走じゃなくていいから、ご飯は大盛りにしてね。そうだ、もしかしてお赤飯？　ね、お赤飯、炊いてくれるの、伯母さん」

身を乗り出す。おうたの方は僅かに身を退いた。

「あ、ああ……そうだね。祝い膳を拵えるから赤飯かねえ」

「わあ、嬉しい。伯母さん、ほんとにありがとう。あたし、丼で食べられそう。でも、食べ過ぎに気を付けなくちゃね。悩ましいなあ。あたし、このごろ、やたらお腹が空いちゃって、空いちゃって、幾らでも食べられるの。塩辛いものはなるべく避けるようにって、産婆さんに言われてるから、ちょっと薄味にしてね。玉子焼きとかも食べたい。このところ卵も魚も蔬菜もみんな値が上がってるから、玉子焼きなんてご無沙汰なんだ。たっぷり卵を使って、ふんわり焼き上げて……。やだ、涎が出そう。言ってるだけで、お腹が空いてきた。何か食べるもの、なかったかなあ」

「……おまえ、身籠ってから、よく食べるねえ。悪阻でろくに食べられないって話はよく聞くけど、やたら、食べたがる身籠り女なんて初めてだよ。そのわりに、あんまり肥えちゃいないし、お腹もさほど膨らんでるわけでもないようだけど……、そんなに大食いで大丈夫なのかい。あたしとしちゃあもう少し控えてもいい気がするねえ」

「だって伯母さん、何を食べても美味しいんだもの。この前なんか、一人でお豆腐三丁と油揚げ四枚、平らげちゃった。その前はね、蒟蒻と粗の煮付けを丼に……」

「ああ、いいよ、いいよ、もういい。わかった。赤飯と捏ね煮と卵焼きをたっぷり用意しておいてやるさ。楽しみにしておいで。それから、松庵さんは無理に来なくていいからね。腹帯の晒が余ったら、患者用に使おうなんて言い出しかねないから、遠ざけておく方が無難てもんだ。じゃ、あたしはこれで」

おうたは腰を上げると、「ほんとに、松庵さんは無理に来ないでいいから」と念を押し、帰って行った。

それが昨日のこと。戌の日は五日ほど後になる。

帯祝いなんて大層な真似はしなくていい。それが本音だ。おうたに伝えた通り、長屋の住人には縁のない祝い事なのだ。でも、おうたの気持ちは嬉しい。おうたでなければ、帯祝いの座を設けるなんて、思いついてはくれなかっただろう。ここまで無事に育ってくれたお腹の子に、ありがとうとも、元気で生まれてきてねとも、みんな、あなたを待っているんだよとも伝えたくもある。新吉はもちろん、松庵も兄の田澄十斗も喜んで祝いの席に座ってくれるだろう。おいちの通っている医塾の師、石渡明乃も塾生の美代も呼ばれるかもしれない。なにしろ、おうたは賑やかな祝い事が大好きだったし、石渡塾は『香西屋』の離れを借りて開いているし、高名な蘭方医の妻であり、夫亡きあと、女の医者を育てるべく奮闘している明乃を贔屓もしているのだから。

　おいちは祝い事が好きなわけではないが、捏ね煮や玉子焼きや赤飯は大好きだ。昔から好物だった。だから、お膳は楽しみでならない。ただ……男連中にはまだ、何も伝えていない。伝える機会がないのだ。

　おいちは洗濯物を畳みながら、座敷の奥にちらりと視線を走らせた。

　松庵と十斗が顔を寄せ合って、何やら話し込んでいる。昨夜はそこに新吉も加わっていた。座敷には行灯が点っている。しかも、蠟燭だ。夜、患者の診察や診療を行うときに使う物だった。油に比べるとかなり明るい。その分、高直でもある。患者もいない、夕暮れ前の刻に点すなんて滅多にない。

　今は、その滅多にないときのようだ。

　仕事でここにいない新吉も含め、昨夜から男たちの顔付は険しいほど張り詰めて、緩まない。帯祝い云々を言い出せる感じはしなかった。

「うーん」と、十斗が唸った。

「どう見ても逸品だ。異国の物に比べても見劣りしません」

「だな。見事なものだ」

　松庵も唸りに近い声を出す。そして、目の前の木箱に手を伸ばした。木箱の中には刃の形が僅かに異なる銀色の小刀が三本、並んでいた。その内の一本を取り上げ、蠟燭の明かりに翳す。もう一度、低く唸る。

「この尖刃、相当な切れ味ですね。怖いほどだ」

十斗がやや掠れた声で告げた。松庵は深く首肯する。

「そうだな。すばらしいとしか言いようがない」

「しかも、この三本、刃の大きさがそれぞれ違う。用途によって使い分けできる」

「うーむ、まさか、これほどの物を日の本の職人が作れるとはな」

「さすがです」

「さすがだ」

二人は顔を見合わせ、同時に頷いた。

「まさにｍｅｓだ。試してみたいですね、松庵先生」

「まさに、一刻も早く試してみたい。これで人の身体をどう切れるのか……」

「しかし、紀州の華岡先生のように、身の内にできた岩を取り除くのは無理ですね。やはり、通仙散のような薬がなければ……。あれは門外不出の秘薬だし」

「そうだな。しかし、この尖刃があれば、いざというとき、すっぱりやれる。壊死しかかった指などを切り落とすには使えるぞ。切り口をできる限り小さく、平らにできれば患者の苦痛を減らせる。治りにも影響してくるはずだ」

「なるほど。やはり、人を切ってみたいですね。このｍｅｓを使いこなしてみたい」

「あの、ちょっと、父さんも兄さんも、そこまでにして」

我慢できず、おいちは口を挟んだ。

「二人の話、仙五朗親分が聞いたら仰天しちゃうわよ。殺しの相談をしているとしか聞こえないもの。物騒な話は、そろそろ止めにしてよ」

「しかし、おいち」

十斗が顔を向けてきた。頰がそれとわかるほど赤らんでいる。蠟燭の炎に照らされているからではなく、気が昂っているのだ。

「おまえの亭主の作った物だぞ。感嘆するしかない逸品だ。我が義弟ながら、すごい技だ。いや、ほんとうにすごいんだ。日の本でこれだけの物ができるなら、いつか、阿蘭陀から買い入れる必要はなくなる。すごいと思わないか」

十斗の物言いは、いつもよりずっと忙しなかった。普段、めったに慌てず、寡黙でもある兄が、ここまで気を昂らせ饒舌になるのは珍しい。

「新吉さんだけじゃないわ。刀鍛冶の藤丸さんや研師の岩佐屋さんにも手伝ってもらったって、新吉さん、言ってたじゃない。兄さん、落ち着いてよ」

十斗は長崎での遊学を終え、江戸に戻ってきた。その遊学の便宜を図ったのは幕府の表御番医、法印三笠西遠だというから、十斗の将来は約束されたも同然だった。三笠の許で研鑽(けんさん)を積めば、御典医の座が見えてくる。それほど、十斗は優秀であったのだ。が、しかし……当の本人が選んだのは表御番医ではなく菖蒲長屋の町医者だった。

　本物の医術を学びたいと松庵に弟子(でし)入りを申し込んだときの十斗の面持(おもも)ちも口調(くちょう)も怖いほど張り詰め、懸命な想(おも)いが伝わってきた。松庵が十斗を受け入れたのは優秀な若い医者を育ててみたいという望みもさることながら、あの気迫に感銘(かんめい)したからでもあるだろう。

　ちなみに、十斗はおいちの実の兄ではあるが松庵とは他人だ。おいち自身も松庵と血の繋(つな)がりはない。二人の父母が亡くなった後、十斗は遠縁の家に、おいちは松庵とお里にそれぞれ引き取られたのだ。真実を知ったとき、おいちは動揺した。自分の足元が崩(くず)れていくような心許(こころもと)なさも覚えた。でも、おうたに言われたのだ。

「おいち、血なんてどうでもいいのさ。誰の腹から生まれたかじゃなくて、誰に慈しんでもらったか、よーく考えな」と。その一言は、胸に響き、心を潤(うるお)し、おいちの動揺も心許なさも拭(ぬぐ)い去ってくれた。

　慈しんで育ててもらった。母からも父からも、伯母からも慈しまれて、ここまできた。その事実は血の繋がりなどより、ずっと強く、確かだ。

　新吉との子を身籠ったとわかってから、悩みや迷いを覚えなかったといえば嘘(うそ)になる。おいちは医塾に通う身で、医者として生きる道を歩いている。それは、いろいろな意味で険しい道のりだと覚悟はできていた。そこに、さらに出産や子育てが加われば、身が幾つあっても足らないほどの忙しさに見舞われるだろう。

今までのように、石渡塾に通えるだろうか。他の塾生に後れをとるのではないか。助手の仕事も半端になってしまわないだろうか。

悩んだ。迷った。焦りも、惑いもした。今もまだ、少し思い惑いはしている。しかし、自分が母親になる、そのことに不安を抱いたことだけはない。

慈しんで育ててもらった。今度は、自分が慈しめばいい。松庵のように、おうたのように、精一杯慈しんで小さな命を守り育てればいい。それが親というものだ。

おいちより、二親と早くに死別し、親戚の家を転々として育った新吉の方が不安を抱えているようだった。

「おれ、おいちと所帯を持って、初めて家族ができた。ありがてえと思ってる。けど、父親ってのがどんなものか、よくわかってねえんだ。こんなんで、本当に父親になれるんだろうか。考えたら、ちょっと怖くなったりするな」

と、打ち明けてくれたのは、おいちの身持ちがわかって間もなくだ。新吉は本当に不安げな、ずぶ濡れの子犬みたいな眼になっていた。

「ねえ、新吉さん」

「うん？」

「あたしのこと、好いてる？」

「は？　な、なんだよ、藪から棒に。そ、そんなの好いてるに決まってるじゃねえか。おれ、初めて逢ったときに、おいちにほ、惚れちまって、もう頭の中がぐちゃぐちゃになるぐらい惚れちまって……そ、そういう相手と夫婦になれたなんて……もう、ほんとに、何て言うか、その、今でも時々、夢じゃねえかなあって思うことがあって……」

「だったら、大丈夫よ」

「え、大丈夫って？」

「あたしを好いてくれるように、赤ん坊を好いてくれればいいの。それだけ」

「それだけ……」

「うん、あたし、新吉さんに好いてもらえて嬉しい。赤ん坊だって嬉しいはずよ。こんなに優しく好いてくれる人が父親だなんて、赤ん坊は生まれながらの幸せ者よね」

「いやあ、そんな。言い過ぎだぜ、おいち」

「言い過ぎじゃないわ。新吉さんは、すてきな亭主で、すてきなおとっつぁんよ。あたしが言うんだから間違いなし。うふふ」

新吉と顔を見合わせた後、おいちは振り向いて戸口に目をやった。

「まさか、伯母さん、聞いてないでしょうね」

「お、お内儀さんが、まさか」

「だって、新吉さんと……その、睦まじくしていたら必ず、伯母さんが現れるんだもの」

新吉が慌てて、おいちから離れる。

「た、確かに。お内儀さん、地から湧いたみてえに現れるよな。まずい。こんなところを見られたら、また、叱られるじゃねえか。『いつまでも、でれでれしてんじゃないよ』って」

「あら、新吉さん。それ、伯母さんの物真似？　すごく似てる。父さんより数段、上だわ」

「いや、おれ、本当にお内儀さん、怖えんだ。睨まれたら竦んじまって動けなくなる」

新吉はにこりともせず、身体を縮めた。本気で怖がっているのだ、おかしくて、おいちは噴き出してしまった。新吉といると、こんな風に笑っていられる。だから、新吉が子どもにとってこの上ない父親になれると、一分の疑いも持たなかった。

今、十斗は義弟の技に何の疑いも抱かず、ひたすら驚嘆している。

ちょっと、快い。亭主を誇りたい気持ちが心地よいのだ。

「でも、ずい分と日数が掛かったわね、兄さんからメスの試作を頼まれたの、もう一年ぐらい前になるでしょ」

「まあ、新吉も本職が忙しいからな」

松庵が答える。答えながら、鈍く光る尖刃を見詰めていた。

「評判の飾り職人で、仕事は降るほどあるっていうじゃないか。その合間に励んでくれたんだ。しかも、何度も試作を重ねてくれて、ありがたいことさ」

「ええ、本当にそうです。そして、こういう優れ物を作り上げてくれたんだ。ありがたいを百回連ねても足りませんね、先生」

「うむ。あいつには礼をせねばならんな。けど、金なんて金輪際、受け取らないだろうしな」

「このメス、仕事として作ってもらうことは、できないでしょうか。外科の医者なら喉から手が出るほど欲しいと思いますが」

「うーん。仕事としてメスを作るか……。難しいかもしれんな。新吉には新吉の本業があるわけだから、これ以上、無理は言えんしなあ」

「しかし、これだけの技を放っておくのは、あまりに惜しい気がしますが」

十斗が身を乗り出したとき、腰高障子が横に滑った。

「松庵先生、うちの爺さまが足を滑らせて転んだまま、動かないんです」

商人風の男が飛び込んでくる。

「石畳が濡れてて、派手に転んだんです。呼んでも返事しなくて」

「よし、わかった。おいち、薬籠を」

「はい」

男の後ろには、子どもを抱えた女がいた。

「先生、この子が引きつけて。助けてください」

十斗が上っ張りに手を通し、声を上げる。

「わたしが診る。こちらに寝かせて。おいち、頼む」

「はい。着物、緩めますよ。横向きにしますね。膝と肘を曲げて、顔も横向きですす。お母さん、落ち着いてください。大丈夫、子どもはよく引きつけを起こしますから。兄さん、この子、熱があるわ。かなり高い。水を持ってきます」

「おいち、走るな」

患者が続くと、自分の身体のことなど忘れてしまう。結局、日が暮れて、空に星が瞬き始めるころまで、患者は途切れなくやってきた。

転んで頭と腰を打った老人はすぐに気が付いたそうだ。頭に大きな瘤を拵えたが傷は心配ないようだと松庵は言った。引きつけた子どもも目を覚まし、母親に抱かれて帰っていった。やれやれと一息吐くと、夜の暗さに驚く。

「あら、もう、こんな時間。いけない、ご飯の用意、何にもできてないわ」

「あ、飯なら屋台で稲荷寿司でも買ってきちゃあどうだ。おれが一走りしてくるさ。あ、けど、新吉、まだ帰っていないみたいだぞ」

松庵が外に向かって顎をしゃくる。

路地を挟んで向かいの一間には、確かに明かりはついていなかった。

「ほんとだ。どうしたのかしら。今日は遅くなるようには言ってなかったけど」

「居残り仕事でもできたんだろう。メスのことで無理をさせたから、仕事に皺寄せがきたとか……それだったら申し訳ないな」

十斗が少し眉を寄せた。

「うん、そうね。急な仕事が入ったのかな……」

一瞬閉じた瞼の裏に、銀色の光が走った。

え、なに？

唾を呑み込む。鼓動が速くなる。得体の知れない不穏な気配が絡みついてくる。

え、なに……まさか。

「新吉さん」

おいちが呟いたとき、遠く、雷鳴が響いた。

〈つづく〉

世界はきみが思うより

第一回　オムレツあるいは（前編）

寺地はるな
Terachi Haruna

高校一年の一学期なかばにして、昼休みを持て余すようになった。弁当を食べて、友人たちとあたりさわりのない会話をするための時間としてはあまりにも長すぎるし、かといって昼寝をするには短すぎる。

村中が道枝くんの妹がものすごい美少女だった件について話しはじめたのは、その長くて短い昼休みがはじまった直後だった。美少女、と聞くやいなや、茅島が「まじで」と身を乗り出した。箸でつまんだきんぴらごぼうの数片がこぼれ落ちた。

茅島とは同じ中学だった。とくべつ仲がよかったわけではないけど、同じ中学からこの高校に入学したのはぼくと茅島を含む三人だけだったし、あとのひとりは女子で、クラスも違う。村中は茅島と同じ塾に通っていて、こちらはもともと仲がよかった。自然と茅島を真ん中にして三人で行動を共にするようになった。

昼休みになると、ふたりはぼくの席にやってくる。村中と茅島はゲームという趣味で繋(つな)がっていて、共通の話題も多い。よく通っていた塾の先生の物真似(ものまね)なんかして盛り上がっている。三人でいるとたまに疎外感(そがいかん)を覚えるというほどではないにせよ、ついていけないと感じることがある。逆に「あっ今このふたり、ぼくを置いてけぼりにしないように必死で気を遣ってるやん」と感じる時もあって、それはそれでいたたまれない。「昼休みの持て余し感」は、日に日に加速していく。

「おれ、昨日病院行ったやん、授業中に」

村中は自分の左足を指し示す。くるぶしに巻かれた包帯がうっすらと汚れていた。昨日の二時間目、体育の時間に転倒したのだ。あまりにも痛がるので骨折しているのではないかと疑われ（さいわいただの捻挫(ねんざ)だったのだが）、野百合(のゆり)総合病院に連れて行かれたのだった。そこで偶然、道枝くんに出くわしたという。

「道枝くん、昨日学校を休んでなかった?」

「うん。あ、だからか。私服やった」

「ラフだけどなんかおしゃれ」な私服姿の道枝くんのかたわらに「ものすごい美少女」が佇(たたず)んでいた。ひとめ見て「息がとまるかと思うほどの衝撃」を受けた村中に、道枝くんはさらりと「この人、妹」と紹介してくれたのだそうだ。

「そっか～。道枝くんも美形やもんな～」

美形。茅島はたまにやや古めかしい表現をつかう。思えば「古めかしい」も最初に茅島が使い出した言葉で、一時期三人のあいだで流行った。ほんの二、三日のあいだのことだけれども。

さりげなく視線を左右に向け、教室の隅から隅まで見まわしてみたが、道枝くんの姿はなかった。道枝くんは一緒に弁当を食べる相手が決まっていない。昨日はこのグループ、今日はこちら、というように、誘われるまま花から花へと飛び移る蝶のごとく、自由気ままな昼休みを過ごしている。

道枝くんは入学式から目立っていた。背はぼくと同じぐらいだから、そんなに高くない。かっこいいというよりかわいい感じ、と前の席の女子が言っていた。肌がつるつるしてて、髪がふわふわしてて、瞳がくるくるしてて、とオノマトペを駆使してそのかわいさを賞賛していた。

「道枝くんに似てた？」

茅島の問いに、村中は「いや、どっちか言うたら、森沢みやびやな」と若手俳優の名を挙げた。茅島が「おお……」と呟き、弁当のプチトマトを箸でつまんだまま、宙を眺めた。

「清楚（せいそ）な感じなんやな」

「そやねん。髪長くて、色白くて、手首とかもう、こんな、こんなんやで」と箸を持っていないほうの人差し指と親指で輪っかをつくった。細かった、と言いたいのだろうが、それだと手首がラップの芯（しん）ぐらいの細さだということになる。

ほんでこれは有野（ありの）さんに聞いたんやけどな、と村中はクラスの女子の名を出した。声がぐっとひそめられたから、自然と三人の顔が寄った。

「道枝くんの妹って、難病にかかってるらしいねん」


フィクションには「難病の美少女」がひんぱんに登場する。すくなくとも、ぼくが読む本には、よく出てくる。余命ものというジャンルがあるぐらいだから、一定の需要があるのだと思う。小学校高学年ぐらいから、好きで読んでいた。父に「冬真（とうま）はもっとましな本を読んだほうがいいと思うよ」と鼻で笑われてからは、ほとんど執着に近いレベルでそうした本ばかり買い集めるようになった。

六歳の時に、両親が離婚した。離婚の理由は父が会社の部下と恋愛関係になり、さらにその部下が父の子を妊娠したせいだ。ぼくの親権を得る、ということだけが母の離婚にあたっての唯一の条件で、父はそれをあっさりと呑（の）んだ。

離婚と同時に、母はぼくを連れて東京のマンションを出て、自分の故郷である大阪の野百合市に移り住んだ。母の両親、つまりはぼくの祖父母の家には戻らず、隣町に中古の一戸建てを買った。

野百合市は大阪の中心部に私鉄で数十分ほどの時間で行くことのできる便利な土地なのだが、とにかく「ガラが悪い」とか「治安が悪い」とかと、評判がよろしくないことで有名な街だった。公立中学の多くは「どうせ割られてしまうから」という理由で教室の窓に一枚もガラスがはまっておらず、廊下を二人乗りの原付が爆音を立てて走行し、トイレの壁は空白が見えないほど落書きで埋めつくされている、とのことだった。

母はぼくに私立中学を受験するようにと熱心にすすめたが、思うところあって受験はしなかった。どんな地獄が待ち受けているかと怯（おび）えていたが、幸いにもそこまではなかった。学力や諸々のモラルが全体的に低く、教室では罵詈雑言（ばりぞうごん）が飛び交い、カジュアルに自転車泥棒（どろぼう）などの行為がおこなわれており、ぼくのようなまじめでおとなしい生徒にとってはじつに緊張感のある環境だったが、じきに慣れた。

そしてこの春公立の高校を受験し、めでたく入学と相成（あいな）った。これが今のところの、ぼくの人生の物語だった。ちなみに私立中学（および高校）を受験しなかった理由はふたつある。ひとつ、母に経済的な負担をかけたくないから。ふたつ、父と同じ人生のコースを選びたくなかったから。

父はとっくにぼくの人生の物語から退場した人物であるのだが、どうも本人はそう思っていないらしい。きっかり三か月に一度、大阪まで会いにくる。そして毎回、グルメサイトで調べたレストランやカフェにぼくを連れて行く。成績はどうだとか好きな子はいるのかとかあれこれ質問をして、それでなんらかの義務を果たしたつもりでいるらしく、銭湯にでも行ったかのようなすっきりさっぱりした顔で新幹線に乗って妻子のもとに帰っていく。

新大阪駅の改札ではかならず「なあ冬真。おれときみのお母さんはべつべつの人生を選んだ。だけど、おれがきみの父親であることにはかわりないんだから、さ」などと、人さし指で鼻の下をこすりながらいくぶんセンチメンタルに言う。「なんかあったら、いつでも連絡しろよ」とも。おそらくだが、改札を通ったあとはもう三か月先まで、ぼくについて考えない。

父は若い頃作家志望だったと聞いたことがある。学生の頃の話だ。今は読む専門だよ、とくに純文学が好きかな、とのことだ。だから父の言う「もっとましな本」とは、そうした本を指しているのだろう。父曰く純文学とは「人間の愚(おろ)かさ、欲望、闇、そして本質を問う」ものなのだそうで、それを聞いた時「ああ、だからか」と難しい数学の問題が解けたようにすっきりした。父は愚かだし欲望に屈(くっ)しやすい。そうした文学作品から、自分を肯定してもらえたような気がするのだろう。

　ぼくが好きな小説のヒロインたちは、みな清らかだ。なかでも十三歳の時はじめて読んだ『その日まで、手をつなごう』のヒロインである陽咲(ひなた)は、格別に清らかだった。不治の病を抱えながらも、いつでも明るく元気にふるまう陽咲。学校でいちばんの美少女で、みんなの人気者で、すごくもてるのに教室の隅にいる地味で奥手な主人公を好きになる。主人公は知る。陽咲によって生命の大切さを、短い人生の、その瞬間のきらめきを。そして人を愛し、信じることの意味を知る。

『その日まで、手をつなごう』、通称ソノッツナ。映画化もされている。陽咲の役は森沢みやびが演じ、日本アカデミー賞で主演女優賞を獲得した。「原作のイメージぴったり」「陽咲そのもの」と評されたあの森沢みやびに、道枝くんの妹は似ているらしい。ぼくが抱いた道枝くんの妹へのほのかな興味は、弁当を食べ終わる頃には「なみなみならぬ関心」へと成長を遂げていた。なんとかして、なんとかして道枝の妹を見てみたい。

「見たいな、ぼくも」

「あ、香川(かがわ)は会ったことなかったんや」

気のせいだろうか。村中のぼくにたいする態度がやや尊大になった気がする。顎(あご)を上げて「近所に住んでんのになあ」と笑った。

「近所言うても、立地的に、なんというか」

道枝くんとその家族は、高校入学直前のタイミングでぼくの家の裏に引っ越してきた。長いこと空き家になっていた、広い庭のある家だ。

引っ越しの挨拶(あいさつ)にも来た。ぼくは部屋にいて、応対する母の声を聞いた。ああ、ええ、そうなんですか、よろしくお願いします、あら、うちの息子と一緒や、ちょっとおーい、冬真ー、と呼ばれたが、その時はなんとなく面倒で、聞こえないふりをした。夕飯の際に「裏の家に越してきた人、道枝さんやって。息子さんは英徳(えいとく)高校に入学予定らしいよ、一緒やん良かったな。あ、娘さんもおるらしいけど来てなかった」と聞かされた。食卓の隅には「ご挨拶」という熨斗(のし)のついた入浴剤のつめあわせの箱が置かれていた。母は淡いミルクの香りがするその入浴剤をいたく気に入って、すぐにネットで調べて新たに購入していた。

道枝くんが越してきた家とぼくの家は背中合わせに建っており、玄関はそれぞれ異なる道路に面している。どこに行くにも、たがいの家の前を通る必要はない。道枝くんの顔も入学式の日にはじめて見た。

「でもさ、ええよな、近所に美少女住んでるとか。夢がある」

いや、夢しかない。茅島が感に堪えぬようにそう呟くと同時に、昼休みの終了を告げるチャイムが鳴った。


べつにのぞきをするわけじゃない。帰宅の用意を調え、校門に向かって歩きながら、自分に言い聞かせるように思う。ちょっと道枝くんの家の前を通ってみるだけだ。すこし遠回りして帰る、それだけのことなんだから。

赤茶けた煉瓦の塀に囲まれた、庭がやたら広いということ以外はどうということのない二階建ての家だ。空き家だったころ、庭には梅や桜や紫陽花や、その他各種のぼくが正式名称を知らない木がでたらめに植えてあった。誰も手入れをしないのに、季節がめぐると勝手に花を咲かせ、実をつけた。小学校低学年の頃に友だちと侵入して遊んだ記憶がある。草ぼうぼうの庭は巨大迷路になり、戦場になり、アマゾンの奥地になった。

歩きながら、道枝くんのことを考えた。下の名前は、綱。引っ越してくる前は福岡にいたという。「なんとかばい、なんとかですたい、って言う?」と誰かに訊かれて、笑いながら「福岡には二年しか住んでないから、わからない」と答えていた。福岡の前は仙台で、その前は忘れたけどどこかの地方都市だった。

道枝くんの中学以前のことを知る者は誰もいない。入学から一か月とすこし経った現在では「ちょっと変わってる人」として認識されつつあった。決まったグループに属さない。でも、浮いているわけではない。入学早々学校指定のリュックの金具が壊れたと言って、洗濯物を入れるようなプラスチックのでかいカゴに教科書やノートを入れて持ってきていたことがあった。

授業中はたいてい寝ている。頬杖をついた姿勢でうつらうつら舟を漕ぎ、教科書やペンケースを落とす。どの教科の先生も、ふしぎと強く叱らない。きみねえ、と苦笑いするか、次からはだめですよ、と軽く釘を刺すのみだ。周囲の生徒たちもにこにこ笑ってそれを見ている。

持参する弁当も変わっている。ぼくは見たことがないが、教室で弁当を食べている時よくみんなに囲まれて、覗きこまれている。他人から自分の弁当をしげしげ見られて「それなに？」「おいしいの？」と質問ぜめにあうなんて、ぼくならとてもじゃないが耐えられない。でも道枝くんはべつだん嫌がるふうでもなく「これ、サモサ。おいしいよ」とか「スカールっていうんだ。ちょっと食べてみる？」とか、ていねいに説明してあげている。スカールってなんやねんと思って、家に帰ってから検索した。ソマリアの食べものなんだそうだ。牛肉とじゃがいもを煮込んだ料理、と書いてあった。

道枝くんは、もしかしたら日本以外にルーツを持っているか、外国に住んでいた経験があるのかもしれない。そう考えてみると諸々、納得がいく。

すくなくとも、この街ではそれはさほどめずらしいことではない。小学校に入学した時隣の席になった女の子は両親ともに中国の人で、最初は日本語が話せなくて、常にサポート役の先生がそばについていた。高校は別れてしまったけど、中学で仲良くしていたルンくんは七歳の時にタイから日本に来た。そういえばルンくん元気かな、と考えているあいだに、道枝家のすぐ手前まで来ていた。ぼくの思考をぶち破るように大きく無遠慮な「だはは」という笑い声が聞こえてきて、思わず足を止める。だはは。品のない笑いかただが、たしかに女の声だった。道枝家のほうから聞こえたけど、森沢みやびに似た清楚な女の子がそんな笑いかたをするはずがない。だはは。また聞こえた。今度はもっとはっきりと、確実に道枝家の庭から聞こえてきた。

「ばかじゃないの、サイコサンってば」

サイコサン。最古参、だろうか。この家の庭は塀に囲まれているが、門扉がない。だから小学生が侵入し放題だったわけだが。今も、そのおかげでさりげなく通り過ぎるふりをして庭の様子をうかがうことができる。

　空き家だった頃に生えていた雑草はすっかり刈り取られていた。キャンプ用の椅子が向かい合わせに二脚置かれ、灰色のスウェットの上下を着た女の子がそのひとつに座り、両手を叩いて笑っていた。あの子が道枝くんの妹なのか？

　もう一脚にも人の姿がある。あれがさっき「最古参」と呼ばれていた人で間違いないだろう。ぼくが立っている位置からは最古参の後頭部と腕しか見えない。男なのか女なのかもよくわからない。「ばかじゃありませーん」とおどけながら両腕をくねらせている。タコの足かと思うほどなめらかに動く。なめらかすぎて気持ちが悪いぐらいだった。関節が人より多いのかもしれない。声を聞いても、やっぱり男か女かわからない。

　道枝くんの妹らしき女の子は、ぼさぼさの頭を振りたてて笑っていた。灰色のスウェットに見覚えがあるな、と思ってから、ぼくの母のパジャマにそっくりなのだと気がつく。それにしてもその笑いかたは、いったいなんなのだ。おい、あの子のどこが美少女やねん、村中の嘘つき。メガネ買い替えたほうがええんちゃう？
憤りながらその場から離れようとした時、道枝くんの妹とばっちり目が合った。さりげなく目を伏せて通り過ぎようとしたのだが、道枝くんの妹はいきなりぼくを指さして叫んだ。

「最古参！　のぞきだよ！」

のぞき。一瞬遅れて、その言葉の意味を理解した。いえ、誤解です。声が聞こえてきたからお庭に誰かいるのかなと思ってちらっと見ただけで。あ、ひなたぼっこですか？　いいですねおじゃましましたー。そう言えば済むことだ。落ちついて、さあ。息を整えた自分を裏切るように、足が勝手に駆けだしていた。

待てコラァ。ドスのきいた声が追ってくる。振り返ると、最古参が後方を走っていた。木の板を打ちつけるような音がする。高下駄をはいているからだ。高下駄。どうして。どうして、高下駄を？

「逃さないからね！」

最古参は絶叫するなり跳躍した。走り幅跳びのように地面を蹴り上げ、宙に身体を浮かせ、大きく腕を伸ばして迫ってくる。着地と同時に両肩に摑みかかってきた。ぼくはバランスを崩し、地面に尻餅をつく。リュックを背負ってなければ、後頭部を強打していたかもしれない。

終わった、と思った。ぼくの人生はもう終わりや。のぞき魔のレッテルをはられ、警察に突き出される。無実を証明できたとしても、変態のレッテルをはられる。周囲に白い目で見られ、進学も就職もなにもかもうまくいかなくなる。もうこの街にも住めなくなるかもしれない。噂は影のようにつきまとい、だれもぼくを愛してくれず、孤独のうちに一生を終えるんや……最古参に腕を捻りあげられながら絶望のあまり呻いた。

「なにしてんの？」

首を捻って声のするほうを見ると、道枝くんが立っていた。なぜか、目を輝かせて駆け寄ってくる。

「おれも混ぜて！」

混ぜて、とはなんだ。遊んでいるようにでも見えるのか？　最古参の背後からまわりこんできた道枝くんはしゃがみこみ、「香川くん」と弾む声でぼくの名を呼んだ。

「ごめんなさいね、腕まだ痛む？」

道枝家の居間で両手を合わせてぼくに頭を下げる人の名は、最古参ではなく「菜子さん」だそうだ。身長百七十二センチだそうで、ぼくよりも道枝よりも大きい。さっきはそのうえ高下駄まではいていたから、ほとんどそびえたっているように見えた。

「いいえ、もう大丈夫です」

お気になさらず、と続けた声に、自分でも嫌になるほどの怯えが滲んでしまっていた。

「誤解されるようなことをしたこっちも悪いし……」

すぐさま「そうだよ。そいつが悪いんだよ」という声が左方から飛んでくる。道枝くんの妹、弓歌さんはソファーに涅槃仏のような姿勢で寝転がってこちらを見ていた。彼女を視界に入れないように、ぼくはテーブルの木目を見つめる。

さきほど道枝くんが「香川くんは同級生だよ。この家の裏に住んでるんだよ、ね？」と言ってくれなかったら、今頃どうなっていただろう。道枝くんは一刻もはやくその場を立ち去ろうとするぼくをしつこく引き留め、なかばむりやり家の中に招き入れた。

家の中は、想像していたより広かった。台所と居間のあいだには壁がなく、中間地点に円形のテーブルが設えられている。庭に面したガラス戸に近い場所にL字型のソファーが置かれている。ばれないように横目で見ると、弓歌さんはスウェットの裾から手をつっこんで、腹をぼりぼり掻いていた。

テレビはなかった。壁の本棚には本がぎっしりと並ぶ、というよりは雑然と押しこまれている。おそらく食卓として機能しているのであろうこのテーブルには、椅子が三脚しかない。道枝家は三人家族なのだろうか。

紅茶と小皿に盛った菓子を供されたのだが、ぼくはそれらに手をつけることができない。正面には菜子さん、隣に道枝くんがすわっていて、なぜかふたりともぼくの一挙一動から目を離さない。

「道枝くんのお母さんは……」

「あ、名前で呼んでくれるかな。道枝さんでもいいけど」

菜子、さん。おずおずと呟くと、道枝くんが「そうそう。ぼくたちも菜子さんって呼んでる」と頷く。なんとかちゃん（くん）ママ、と呼ばれるのが嫌いな人が一定数いるのだと母から聞いていたが、自分の子どもにも名で呼ばせるほど徹底している人はめずらしいような気がする。

「いつも下駄を履いてるんですか」

「毎日じゃないけど、だいたいは」

菜子さんは家で仕事をしているので好きなかっこうができるのだと教えてくれた。

「ただの下駄じゃなくて、高下駄なんですね」

「うん。昔、天狗に憧れてたから」

ギャグかな、笑ったほうがいいかな、と思ったが、ぼく以外の三人はいたってまじめな顔をしているので、黙って頷いておいた。

「あのね、前の前の家で、塀ごしに弓歌を見てた不審者がいたんだよね」

菜子さんがこめかみに人差し指を当てて、話しはじめた。

「前のマンションではひとりで外を歩いてる時につけまわされて交番に駆け込んだこともあった。あと、電車の中でいきなり写真を撮られたこともあった。ひとことの断りもなくよ。信じられる？　信じられる？」

「それは……たいへんですね。でもそれって、きれいだからですよね」

のところで、菜子さんの声がひっくり返った。

灰色のスウェットやぼさぼさ頭を無視して顔立ちだけで言うなら、弓歌さんはたしかに美少女だ。きのう村中が会った時はもっとましなかっこうをしていたのだろうし、森沢みやびに似て見えたとしても不思議ではない。

「きもちわるっ」

弓歌さんがフゴッと鼻を鳴らした。

「きれいだったら勝手に写真撮っていいの？　じろじろ見ていいの？　わたしは観

光名所でもめずらしい花でもない、人格ある一個人なんですけど」

人格ある一個人。自分より年下の女の子がぼくの母みたいなことを言い出したので、びっくりして黙りこんでしまった。弓歌さんは「ねえ、わたし質問してんだよ。わたしはきれいだから、我慢しなきゃいけないの？　つきまとわれたりのぞかれたり、そういうのぜんぶぜんぶ仕方ないって受け入れて生きていくしかないの？答えろよ」と言い募る。

道枝くんがとりなすように「ま、とにかく食べてよ。それ、ぼくがつくったんだよ」と小皿の菓子を指さす。クッキー、だと思う。小さくて、丸っこくて、砕いたアーモンドがまぶしてある。

「いや、えっと」

「もしかして、甘いもの苦手？　じゃお茶だけでも」

「ありがとう。でもほんとうに」

「綱。無理強いしちゃだめだよ」

菜子さんがやわらかく、でも有無を言わさぬきっぱりとした口調で道枝くんをたしなめた。道枝くんがあまりにもさびしげに肩を落としているので、なにか言わなければと焦った。

「あの、違うねん、ごめん。ぼく、お菓子に限らず他人がつくったもんは食べられへんから」

それはなんでかっていうと、という説明しようとしたが、弓歌さんによって遮（さえぎ）られた。

「うわ！　それって、最悪」

「弓歌」

菜子さんが弓歌さんを睨（にら）んだが、彼女はまるで意に介さぬ様子でぼくに人差し指をつきつける。

「いるよねー、たまに。そういう人。わたし大っ嫌いなんだよね。この世の中で、自分だけが敏感で清潔で繊細（せんさい）な存在で、他人はみんな不潔って思いこんでそう」

自分だけが。敏感で。清潔で。繊細で。そんなんちゃう、と言いたかった。でも、なにがどうそんなんちゃうのか、弁解したいのに言葉が出てこない。そこにあるのに、取り出せない。

立ち上がって、床に置いた鞄をひっつかんだ。とにかくこの家から出たいとただそれだけを強く願い、ドアに向かいかけてから、ソファーを振り返った。言っておくべきことを、まだ言っていなかった。弓歌さんが身構えるようにクッションを抱きしめるのを見ながら、口を開く。

〈つづく〉

PHP文芸文庫

思い出ごはん

PHP研究所 編

いまも心に残る、
あの日のあの味――。
人気作家など75人が
「忘れられない料理」
について綴る、じんわり、
ほろりとするエッセイ集。

桜風堂夢ものがたり2　第二回　プロローグ

優しい怪異（中編）

村山早紀
Murayama Saki

さっきまで晴れていた六月の空に、大きな雲がかかったものか、窓から差す光が暗くなった。

軽く叩くような音がすると思ったら、急に雨が降り出し、店の壁やガラスを軽快なリズムで叩きながら通り過ぎて行く。

それはどこか、見えない妖精たちが手を取り合って駆け抜けた足音のような、そんな響きだった。

自分と年上の客人の他は、ひとの気配がない、山里の古い書店で、物語めいたことを話し、聞いた直後の通り雨は、夢幻の世界の住人からのメッセージ――「そうよ、わたしはここにいるのよ」というささやき声のようにも聞こえ、摩訶不思議な存在が跋扈する世界へと自分が足を踏み込んでいたと気づいたような、くらりとする酩酊感を一瞥は味わったのだった。

それは多少怖くはあったけれど、嫌な感情ではなかった。

むしろ、好ましい夢を見て目覚めた朝に、このままここでまどろんでいたいと思うときのような、甘やかな感覚を覚えた。

高岡源が、ふと呟いた。

「十代の頃です。高校生の頃、家を守るためにアルバイト生活を送っていた時期の冬に、いまのような、駆け抜けるような通り雨に遭ったことがあるのを思い出しました。雨合羽を着て、新聞配達の途中だった、そんな朝のことでしたね。空にはまだ、大きく丸い月が浮かんでいました。氷のように冷たい風が吹く中を、月に照らされた夜明け前の世界にひとり、まだ眠っている町に向かう橋を渡っていると――どこか異界に引き込まれるような、そんな危うい気分になったのを覚えています。それが油断に繋がったんでしょうか。そばを通り過ぎた大きなトラックに吸い込まれるようにバランスを失いました。なんとかたて直したところを、ふいに吹き付けた強い風に煽られて、低い欄干を乗り越え、自転車ごと、下に落ちました」

高岡は、口元に優しい微笑みを浮かべた。

日に焼けた長い指をカウンターの上で組むようにした。ゆるゆると、物語を語るような言葉を続けた。

「冬の早朝のこと、まだ闇が漂う川原には人気が無く、わたしひとりでした。冬枯れの草原の中で、しばらくの間、気を失っていたのだと思います。叩きつけるように通り過ぎた雨のおかげで、意識を取り戻しました。ふいに降りそそいだ雨粒が鼻と口に落ちて、苦しくて溺れるかと思いましたが、そのおかげで目が覚めたんです。でもね、打ち付けたからだのあちこちが酷く傷んだのと、とても疲れていたので、まぶたをまた閉じて、このまま眠ってしまいたいと思いました。ちょっと訳ありで、とても疲れていたんですよ、その頃のわたしはね。

もうこのまま、二度と起き上がらなくても良いと思いました。短い人生だったけれど、これで終わって良い、と。

頭の片隅で、冷静な自分が考えているんです。冬の雨だ。このままこうして濡れていれば、街中でも凍死できるかも知れない。早朝の川原なんて、誰も通りかからないだろう。これで死んでも、事故だもの、家族は悲しむだろうけど、いつかは忘れてくれるだろう。たぶんわずかだけど、保険も下りるはずだ。幼い弟と妹の学費の足しにしてもらえたら。自分の分も、上の学校に進んでほしい。

その時初めて、わたしは、自分が死にたかったということに気づいたんです。そんなこと思っちゃいけないと、気づかないようにしていた、本心に気づいた。家族のために、頑張って生きていかなきゃいけないんだって、ずっと自転車を漕ぎ続けるように、前を向いて歯を食いしばっていたんだということに、そのとき、気づいたんですよね。

もう、無理だと思った。自転車はもう漕げない。疲れた。休みたい。このまま寝ていれば、永遠に休めるのかも。――そう思ったとき、手首の辺りに、誰かがふれたんです。あたたかな、水仙の花の香りがする手が。そこには、早朝の薄暗い川原には、わたし以外に誰もいないはずだったのに。

なんて、わたしの経験した、不思議な怪異のお話を、聞いてくれますか？」

「はい。わたしでよければ」

少しだけ緊張して、一整はうなずく。

目の前で笑っている、穏やかな作家の、その十代の頃に経験したという、冬の朝の出来事――自分に聴いてほしいというのなら、心して耳を傾けたい、と思った。

「そもそもは、うちの父が悪かったんです。変に器用で目端が利いて、頭も良くてね。生まれた家も良かったものだから、いろんな会社を興してはそこそこ儲け、そのうち飽きては違う事業に手を出したり、投機をしたり。大きな額の買い物が好きで、海外の名も知れぬ鉱山やら、得体の知れない掛け軸や、曰く付きの宝石や。でもね、財産なんて、どれだけあっても使えば減ってしまう。事業に失敗することが続けば、そばにいたひともいなくなる。借金は一度ふくらむと、容易に返せない。

父はある日、失踪したんです。家族を置いて。わたしが高校二年生になったばかりの頃のことでした。打たれ弱いひとだったんでしょうね。全てを捨てて、逃げていってしまった。悪いひとじゃなかったんだけど、まあ、少しだけ無責任だったのかなあ。それっきり、縁が切れてしまいました。いまもたまにね、思い出しては、世界のどこかできっと変わらずのほほんと暮らしているんだろうなと思います。

いつも忙しくて家にいない父でしたが、家族のことは大事にしてました。それは通じてましたね。いない時間を埋め合わせるように、出先からよく贈り物を贈ってくれたものです。どれもみな高価そうなもので、父が楽しんで選んだのがわかりました。母のためには、海外の大きな百貨店で選んだ、王女様が身につけるような翡翠のネックレスやらダイヤの指輪やら。まだ小さかった弟妹には、やはり海外のブティックで探したらしい、豪華だけれど、サイズの合わない子ども服や幼い子ども向けのおもちゃや。一緒にいないものだから、小さな我が子にどんなものが必要なのか、わからなかったんですね。子どもはどんどん育っていきますし。でも、仕方ないね、って、わたしたち家族は笑って受け取って、大切にしていました。

　父はわたしには、高級な絵の具やキャンバスを見繕ってくれました。幸い、画材はいつも嬉しいものでした。わたしは子どもの頃から絵を描くのが好きで、実際巧かったので、美大に進んで画家になりなさい、といわれて、進学のために画塾に通ってたんです。買い物が好きな父は、美術品も好きで、うちには玉石混淆の、美しい絵がたくさんありましたっけ。――そんなのもみんな――母の宝石も、たくさんの絵も、父の失踪後、手放しましたけどね。大きな家に住んでいたんですが、家も売ってお金に換えました。わたしは、アルバイトをして家にお金を入れました。画塾はやめて、美大進学は諦めました。高校を卒業したら社会人になろうと。頼れる親族もなく、母が病弱だったので、わたしが働くしかなかったのです。絵は趣味で続ければいいやと思いました。いつか、ずっと未来に、好きなことをできるだけの余裕ができたら、自分の力で絵を学ぶのもいいとそう思って諦めました。

　家族のことは大好きで大事でしたし、長男として自分が家を支えることは当たり前だと思いました。いなくなった父のことも恨みはしませんでした。仕方ないひとだと笑うしかなくて。だって、わたしが泣いて落ち込んだって、行方知れずになった父は帰ってこないでしょうしね。

　でも、学業とアルバイトとの両立が高校生には大変で、毎日疲れて寝不足で。ある日、道をふらふら歩いていたら、車に軽く引っかけられましてね。——ええ、ほんとに軽く。はずみで塀に指をぶつけて骨折しまして。それが利き手の人差し指と中指で。日常生活にさしさわるほどではない、けれどそれきり、絵が思うように描けなくなってしまったんです。神経を傷めたんですね。ちょうど良かった、と高校生のわたしは思いました。これで本心から夢を諦められる、と。心配する母に、笑顔で、『これでいいんだよ』といったのを覚えています。母はね、泣いていました」

ああ、それで、と一整は思う。

高岡源は、デザイン会社に勤めている兼業作家だ。デザイナーではなく営業職だそうだけれど、パソコンのデザインソフトを使いこなして、イベント用の洒落(しゃれ)たポスターを作成してくれたことがある。

その昔、絵を学ぶ夢を諦めたといっても、変わらずに美しいものが好きで、デザインセンスも優れていて、いまは傷ついた指のかわりに、機械を使いこなすことで、美しいものを作り上げることができるのだろう。

(就職先にデザイン関係の会社を選んだのも、絵が好きだったからなのかも知れない——)

少年の日の夢に近い場所にいたかったのかも知れない、と思った。あるいはそうと意識せずとも、そちらへと道が続いていたのかも。

そしていま、高岡はその手で、美しい物語を綴っている。——まるで絵を描くように。

高岡源の書く小説には、優れている点が多い。特に文章の巧さで評価が高い作家だ。情景描写が美しい、殺陣が素晴らしい、と良く評される。表紙や挿絵を描く画家たちは、彼の作品に絵を添えるのは楽だ、描きやすい、とみながいうらしい。

高岡源の原稿からは、登場人物が、舞台になっている場所のどこに、どんな表情や様子でどう立っているのか、目に見えるようにはっきりと読み取れるのだと。

実は、登場人物がひとつの場面に複数登場すると、そういったことが文章から読み取れなくなって困る著者が多いのだとか。

たぶん、高岡の目には情景がくっきりと「見えて」いて、それを文章として書き表しているのだろう、と画家たちはいう。だから、読む者にも、それが「見える」のだろうと。

高岡はみずからの生み出す物語を画家の目で見つめ、言葉に変えて語る作家なのだ。

文章を読むだけで、絵に描いてあるように、情景がわかる。世界が立ち上がってくる——それができるのが高岡源の才能で、だからこそ、絵を添える画家たちは仕事がしやすいというのだろうし、一整のように読者として物語を読む者達は、まるで自分がその場にいるように、臨場感を持って楽しむことができるのだろう。

「わたしは絵を描くように、物語を綴るのです」

以前、何かのインタビューで高岡が語っていた言葉を、一整は記憶している。

(先生は絵筆をとるように文章を綴る。ぼくたちは、その文章を通して、先生の書いた、美しい絵の世界を見ているのか)

そういう意味では、高岡の絵の才能は——画家として花開くことはなかったとしても、高岡の生み出すものに無二の輝きを与えているといえるのかも知れない。

こんな風に、夢の残滓とともに生きているひとは多いのかも知れないな、と、一整はふと思った。みんなが夢を叶えられる訳ではない。叶わなかった夢を忘れてしまえるものでもない。通りを行くひとや、街角にいるひとたちの心の中で、孵らなかった夢の卵たちは、ひっそりと輝いているのかも知れない。

叶わなかった夢の名残は、そのひとの心のうちで輝き、そっと行く手の道を照らすこともあるのかも知れない。

「家を背負って頑張る高校生と、幼い弟妹に、それを抱えた若い母親の一家は、やはり痛々しく、かわいそうに見えたんでしょう。近所のひとたちに何かとかばわれて、優しくされましたね。人間っていいものだなあ、とあの頃は幾度も家族で涙に暮れたものです。特に、町の本屋さんには、ほんとにお世話になりました。小さな本屋さんでね、おばあさんがひとりで経営していて。連れ合いを早くに亡くされて、子どもたちはみんな見事に育て上げ、巣立たせたあとの、独り暮らしのおばあさん。手編みのベストを着せた、マルチーズと暮らしていましたっけ」

高岡は、目を細めた。いまそこに、そのおばあさんと小さな白い犬がいる、というような、優しいまなざしをした。

「家を手放して引っ越した先のアパートの近所に、古い商店街がありましてね。いまはもうあまり見ないような、個人商店が並ぶ、そんな通りです。魚屋さんやお肉屋さんや、お花屋さんに雑貨屋さんが並んでる、みたいなね。昔ながらの。ちょっと桜野町(さくらのまち)の商店街に似ているかも知れませんね。

その中に、おばあさんの本屋さんもあったんです。お店の感じも、ここともちょっと似てるかな。まあ、桜風堂みたいに格式がある感じとは違って、親しみ深い、いかにもな町の本屋さんというか、学校帰りの子どもたちが駆け込むような。駄菓子も置いてたし、貸本漫画も置いてましたね。でも雰囲気は、うん、やっぱりこのお店と似てるかなあ。あったかい感じは。だからきっと、このお店に来るたびに、懐かしさを感じるんだと思いますよ。帰ってきたような気がするのかも」

にこりと高岡は笑い、話し続けた。「わたしはその商店街でアルバイト先を探しました。メインで長くやってたのは当時流行の新聞配達で、これは早起きが大変でしたが、わたしは子どもの頃から活字が好きだったので、張り合いのある仕事でしたね。あの頃はいまのようにネットもない。朝一番に町のひとたちにニュースや文化を届ける仕事、というのは格好が良いものだと、自分を励ましていましたね。そのほかに、いろんなお店の店番を頼まれたり、配達の仕事をしたり。いま思うと、ろくに働いたこともないような高校生が、町のおとなたちから、あたたかな目で見守られていたんだと思います。商店街というものに、まだそんな余裕があった時代ゆえの優しさもあったのかも知れないです。

そんな中で、本屋のおばあさんには特によく、アルバイトを頼まれていたんです。わたしもあの店で働くのは好きでした。学校帰りにお店に直行して、エプロンを借りて、店番に配達、そして、朗読を――」

「朗読、ですか？」

「ええ。本屋のおばあさん、時代小説が好きで、店と続いてる自宅の本棚にたくさんの時代小説を並べてましてね。吉川英治に司馬遼太郎に、池波正太郎、山岡荘八の本がずらーっと。春陽文庫の、山手樹一郎あたりも全巻あったんじゃないでしょうか。村山知義の『忍びの者』なんかもありましたね。

店番や配達のバイトの後に、おばあさんは、わたしに声をかけて、その中の一冊を差し出して、読んでほしい、というんです。自分は年をとって文字を読むのが辛いから、お願い、って、笑って手を合わせて。

　レジの奥に、炬燵（こたつ）がひとつ置いてある、小上がりの小さな部屋があったんですが、マルチーズと一緒に、そこに座って、本を読みました。おばあさんが店の仕事をしている、その背中に向けて、朗読しましたね。最初は恥ずかしかったんですが、これも仕事だと思って開きなおれば、じきに慣れました。そもそもおばあさん、聞き上手で、上手上手と喜んでくれたこともあって、のってきたんです。最後の方では、もっと巧く読もうなんて思ってましたね。ラジオのアナウンサーになった気分というか、いまだとオーディブルですか。お客様が来れば中断して、また読む。その繰り返しで、いろんな本を読みました。楽しかったですよ。

　実はね、そのときまで、時代小説というものにほとんどふれたことがなかったんです。司馬遼太郎は何冊か読んだかな、程度で。ほんとに活字が好きでしたから、Oヘンリにサキ、星新一（ほししんいち）、小松左京（こまつさきょう）やら、その時代の活字が趣味の十代が読むような本は読んでいましたが、時代小説はおとなや年寄りが読むもので、高校生が読むような本じゃない、という思い込みがありました。でも、声を出して読んでみるとね、面白かったんです。地の文が名調子で、あるいは整然と美しく、歴史や活劇には浪漫があり、キャラクターの立った美男美女が活躍するしで、朗読するとさらにその良さに気づきやすかったのかも知れません。わたしはだんだん時代小説に魅了され、やがて、おばあさんの時代小説コレクションの棚から、本を借りて読むようになりました。あの時代にわたしの時代小説の素地はできたんだと思います」

高岡は、静かに微笑み、息をついた。

「その日の分を読み終わると、おばあさん、今日もとても良かった、あなたは本を読むのが上手、お疲れ様、と封筒に入ったその日のバイト代と一緒に、お茶やお菓子を出してくれましてね。たまに手作りのお団子やおにぎり、冬にはお餅に、熱いお味噌汁なんかも。美味しかったし、ありがたかったですね。十代男子ですから、いつもおなかが減っていましたし。食後に日々の疲れが出て、眠くなってうつらうつらすると、寝てていいですよ、とあたたかな手で、毛布を掛けてくれました。家ではそんな風に疲れたところは見せたくなかったので、そこで休めることがありがたかったですね。――体の疲れもですが、おとなのように家族を背負っていることがやはり重荷で、精神的に疲れていたんだと思います。そんなことを、おばあさんに見抜かれ、心配されていたんじゃないかと思いますね。わたし自身は、いつも元気で明るく働く、バイトの高校生のつもりだったんですけどね。

いま思うと、あれはおばあさんからわたしへの優しさだったんだと思います。本が好きなわたしのために、朗読という簡単で、そして体に楽だろう仕事を作り、休む場所を作ってくれたんだと。あのひとは子どもが好きで、店にはいつも子どもたちが出入りして、みんなのおばあさんのように懐かれていましたし。当時のわたしは高校生、おばあさんから見れば、十代の、まだ子どものうちといってもいいような存在だったのでしょう。おばあさんは、他の子どもたちを見守る、それと同じ目で、親鳥が雛たちを大きな翼であたためるように、世話を焼いてくれていたんでしょうね」

高岡は、遠いところを見るようなまなざしをした。

「——そんな日々の中、冬の早朝に、わたしは橋から川原に自転車ごと落ちて死にかけたわけです。

もうこのまま立ちあがらなくていい、死んでもいい、と思ったとき、夢かうつつか、手首に誰かのあたたかい手が触れました。そんな気がしました。その手からは、花の香りがしました。水仙だと思いました。育った家の庭に、白い水仙が、冬ごとに咲いていたから、すぐわかったんです。

ぼんやりと定まらない頭で、これは誰かが邪魔をしてるんだと思いました。このまま眠っていれば死ねるのに、起こそうとしてるんだな、と。水仙の花の香りのするその手を、わたしは弱々しく、振りほどこうとしました。

でもその温かい手は、ぎゅっとわたしの手首を握りしめたまま、離そうとしませんでした。わたしはもう腹が立ってね。自分は死にたいんだから、ほっといてくれ、と叫んだんです。すると一言、こんな言葉が聞こえました。『そんな悲しいこと、いってはだめですよ』と。知っているひとの声だと思いました。

その声で、目が覚めたんです。雨に濡れた顔を手で拭いながら、よろよろと身を起こしました。早朝の、雨雲の向こうに光を孕(はら)んだ、ほの明るい川原には誰もいませんでした。水仙の香りの手の持ち主も。ただ花の香りだけが、かすかにそこに残っていたんです。手首をぎゅっと握りしめられた、その感触も」

高岡の手が、片方の手の手首を撫でた。

「優しいけれど、強い力でした。絶対に離さない、そんな力だったと思いました。その力に引き戻されるように、わたしは正気に返りましてね。同時に自分が死にたいと思ったことがとても怖くなりました。寒さと怪我の痛みに震えながら、朝日に照らされて、そう思ったんです。夢から覚めたように、死にたくないと思った。たぶん日の光にはそういう力があるんでしょうねえ。それと耳の底に、あのとき聞こえた言葉が残っていました。

『そんな悲しいこと、いってはだめですよ』――時間がたつごとに、日に照らされて、朝の風に吹かれるごとに、記憶は曖昧(あいまい)になって行き、何もかもが幻であり、幻聴だったように思えてきてはいましたが。

壊れた自転車を引きずって、なんとか橋の上まで上がりました。雨の日でビニールに包んでいたこともあって、幸い新聞は無事で、でも配達の時間には遅刻だから、焦りましたね。からだのあちこちが酷く痛んだけれど、気合いでなんとか配達を終え、新聞屋さんに自転車を返しに戻ったら、驚かれて心配されました。汚れてドロドロの姿だったでしょうし、橋から落ちたと聞かされれば唖然としたでしょう。怪我の方は幸い、片足と片手の捻挫に擦り傷程度で済みましたが、数日バイトは休みになりました。学校もです。捻挫って、した直後は動けるんですが、時間がたつと腫れ上がって何もできなくなりますよねえ。

家族に泣いて心配されたこともあり、仕方なく、家で天井を眺めてしばらく養生してたんですが、ふと思いだしたんです。――あのとき聞こえた声は何だったんだろう、って。

水仙の匂いがするあたたかな手首も、あのとき聞いた言葉も、その後、時間が経ってみれば、思い出すごとにリアリティが薄れて行くようで。あれはやはり一時の気の迷いで、錯覚や幻聴だったんだろうと思えてきていたんですが――布団でまどろむうちにふと、あの声は、本屋のおばあさんの声に似ていたような気がしてきたんですよね。――まあ、あのおばあさんだとしても、早朝の川原にいるはずがない。実際、あのとき、そばには誰の姿もなかったですしね。けれどなんだか、おばあさんにその話をしたくなりまして。

布団から這いだして、本屋さんに出かけたんです。病院で借りた杖を突いて、ギプスを巻いた足と手首をかばうようにして。

するとね、本屋さんはしまっていたんです。それまでいつも、町の子どもたちの訪れを待つように、年中無休のように開いていたのに。チャイムを鳴らすと、知らないおばさんが、店の裏手の方から姿を現しました。そのひとがいうには、おばあさん、数日前から急に具合が悪くなって、町の大きな病院に入院しているとかで。ええ、もともと心臓に持病があったんです。それは知ってました。遠くの街に住んでいる子どものひとりが、店番と犬の世話のために帰ってきていて、それがそのひとだということでした。いわれてみれば、穏やかな感じの目元がおばあさんに似ているひとでした。優しい話し方も。わたしのことは聞いている、本を読むのが上手なんですってね、いつもありがとう、と頭をなでてくれました。

『あなたが来たら渡してといわれていた本があるのよ』そのひとは店の扉を開けて、わたしを中へと呼んでくれました。たしかに、借りる約束をしていた本があったんです。お礼をいって、本を受け取ろうとしたとき、はっとしました。本と埃の匂いに混じって、かすかな花の匂いがしたんです。

しんと冷えた薄明るい店内の、レジのそばに、白い水仙が咲いていました。ガラスの花瓶に活けられて、静かに咲いていたんです」

高岡は、なんとも不思議な笑みを口元に浮かべた。

「それだけの話なんです。何のオチがあるわけでもありません。本屋のおばあさんは、その後、入院が長引いて、子どもたちの住む遠くの街へ引き取られていきましてね。結局、わたしはあの早朝の出来事を、おばあさんと話さないままになりました。いつか町に戻ってきたら、と思ううちに、店は畳まれてしまい、わたしもおとなになってその町を離れましたし。あれから長い年月が経ちましたから、いまはもうあのおばあさんも、さすがに存命ではないでしょう。

けれどいまも、あの小さな店の姿や、レジのそばの小部屋で本を読んだ日々、あたたかな毛布を掛けてもらってうたた寝した心地よさの記憶は忘れずに、胸のここにあります」

高岡はそっと自分の胸を押さえた。

「あの冬の朝の怪異は、やはり錯覚、幻想かも知れない。けれど、事実かも知れない。誰にもほんとうのことはわからない。たぶん永遠に。でもね、わたしは思うんです。どちらでもいいのだと。優しい怪異の正体を探る必要も、その記憶を疑う必要もない。――なぜって、その後も、わたしが道に迷うとき、水仙の香りの温かな手が、わたしを正しい方へと引き戻してくれたような気がしましたし、なにか暗い、悲しいことを考えれば、だめですよ、と耳の奥でかすかな声がしました。きっとそれは、わたしがこの先、老いて死ぬまで、そうなのだろうと思います。

　わたしは弱く、迷うこともある人間ですが、ひとりじゃない。ひとりで頑張らなくても良い。優しい怪異が道を指し示し、見守っていてくれる。それでいいんだと思っています」

　にこにこと、高岡は笑う。そして、明るい声で言葉を続けた。

「そしてね、思うんです。自分が優しくされたように、誰かを見守り、優しくしたいなあ、と。自分が受けてきた優しさを、誰かに返していきたいものだなあ、と。

　人間は優しい。世界には酷い出来事も、悲しいこともありますが、それでも人間は優しく、誰かを見守り、明るい方へ導くことができるのだと、わたしは知っていて、そして忘れないんですよ」


　窓から、夏の光が射した。

　雨雲が遠ざかって行き、青空が戻ってきたのだろう。

　高岡はゆるくまばたきをしながら、そちらを振り返り、一整もまた、光の方へと視線を向けたのだった。


〈つづく〉

さよなら校長先生

3 連絡帳 前編

瀧羽麻子
Takiwa Asako

下りの普通電車は、思いのほか空いていた。

ぽつぽつと埋まっているシートの片隅に、明代（あきよ）は腰を下ろした。重たいボストンバッグを膝の上に、手土産の入った紙袋を足もとに置いて、ほっと息をつく。

連休の初日はいかにも行楽日和（こうらくびより）の秋晴れで、特急の降車駅も、そこから乗り継いだ在来線の車両も、すさまじく混雑していた。さらに私鉄に乗り換えて、この先はたった二駅だけれど、それでもゆっくり座れるのはありがたい。

ホームの案内表示をもう一度確かめ、正面に向き直った拍子に、はす向かいに座っている親子連れに目がとまった。

若い母親と、男の子だ。野球帽をかぶり、青いリュックサックを背負っている。背格好からして幼稚園児だろうか。靴を脱いでシートの上に膝立ちになり、窓に両手をぺたりと貼りつけて、一心に外を眺めている。ホームを挟んで反対側に停車中の、急行列車に目を奪われているようだ。よく見たら、リュックのポケットにも電車のアップリケがくっついている。

うちの子も、このくらいの年頃だった時分は、電車に乗るたびに同じ体勢になっていたものだ。

といっても、わが家の近くは東京と違って車社会で、幼児を連れて公共交通機関を利用するような機会はそうそうなかった。だからなおさら、電車でのお出かけは息子にとって特別なお楽しみだった。

何日も前から、指折り数えて当日を待った。いざ電車に乗りこめば、車両の種類や路線を解説したり、車内アナウンスを復唱してみせたり、片時も黙っていなかった。日頃は内気で物静かな子だけに、嬉々として話しかけられるとこちらまで心がはずんだ。同じく鉄道好きの夫ならともかく、明代は専門的な知識を披露されてもさっぱりついていけず、夢中で喋る息子にひたすら相槌を打つばかりだったが。

それに比べて、目の前にいる男児はしごくおとなしい。

電車に気をとられていて話すどころではないのか、それとも、公共の場で騒がないようにと躾けられているのか。あるいは、母親が手もとのスマホに目を落としたきり、わが子にかまうそぶりがないせいだろうか。

他人ごとながら、ついため息がもれる。

もったいない。この母親に限らず、子どもに関心の薄そうな親を見かけるたび、よけいなお世話だと知りつつももどかしく思う。親子が一緒に過ごせる時間は、いつまでも続くわけではないのに。

　母親がふと顔を上げたので、明代はぎくりとして目をそらした。まさか心の声が聞こえたはずはないけれど、じろじろと見すぎてしまったかもしれない。

　しかし母親は向かいの乗客には目もくれず、「わかった」と息子の腕をつついた。

「連休は特別ダイヤになってる。特急の時間も変わっちゃってるみたい」

「ええっ？」

　息子が悲しげな声を上げて、母親の差し出した液晶画面をのぞきこむ。

「今日は見れないの？」

「いや、たぶん大丈夫。とりあえずこのまま行って、ここで乗り換えれば……」

　母子ともに、真剣きわまりない顔つきで相談している。路線図を確認しているようだ。明代は勘違いを恥じた。どうやら、母親は息子のために、列車の運行状況を調べてやっていたらしい。

　発車するまでに、今後の行程は定まったようだった。子どもが再び窓にかじりつく。小さな背中から、母親がリュックを下ろしてやっている。

　明代のめざす駅には、五分ほどで到着した。

　心の中で親子連れに別れを告げ、荷物を抱えて電車を降りた。上りの電車も到着したばかりのようで、構内はそこそこ混みあっている。人波に乗って、というより流されて、息子から指定された出口にたどり着く。

ついさっきまで子ども時代の姿を思い出していたからか、改札の向こうにのっそりとたたずむ息子はやけに大きく見えた。

実際、体格はいいほうだ。明代よりもゆうに頭ひとつ分は背が高く、それなりに横幅もある。ほっそりと華奢だった幼少期の面影はもはや完全に失われている。とうに三十路を過ぎているのだから無理もない。

軽く手を振ってみたけれど、反応はなかった。よくよく見れば、耳もとに電話をあてがっている。通話中のようだ。顔はこちらを向いているものの、視線はまじわりそうでまじわらない。

あきらめて腕を下ろそうとしたとき、手を振り返された。

息子に、ではない。その傍らの小柄な人影にも見覚えがあることに、明代は遅まきながら気がついた。

にっこりと笑いかけられて、とっさに笑顔をこしらえる。

彼女と顔を合わせるのは、これで二度目だ。半年前、帰省した息子から紹介されて以来である。

ふだんはめったに連絡をよこさない息子が突然電話をかけてきて、恋人を連れていくから会ってほしいと告げたとき、明代はかなり驚いた。息子から恋愛がらみの話を聞くのははじめてだった。女性の気配を感じたことすらなかった。

もっとも、男女にかかわらず、ひとり息子の交友関係を明代は詳しく把握できているわけではない。息子はもともと無口な上に、大学進学を機に親もとを離れて上京して以来、どんな生活を送っているのやら、いよいよわかりづらくなった。

といっても、どうしても秘密にしたいふうでもない。帰省の折などに明代のほうからたずねれば、そっけないながらも返事はあった。大学院の研究室仲間や職場の同僚と撮った写真を見せてもらったこともある。

みごとに男ばかりだった。女っ気がないのは、当人の資質はともかくとして、異性の少ない環境で育ってきたせいもあるのかもしれない。中高一貫の男子校に通い、大学も理工学部とあって女子生徒は多くないようだった。大学院を出た後に就職したIT企業の研究開発部門でも、仕事仲間はほとんど男性らしい。

そんな息子が恋人を両親に会わせたいと言うのだから、その意味するところは明らかだった。

彼女は単なる交際相手ではないに違いない。結婚を前提としたおつきあいなのだろう。それも、親を巻きこむ程度にまで話が進んでいる。ごくごく自然に、明代はそう結論づけた。

電話を切るなり、夫に報告した。夫も妻と同じ意見だった。

息子たちの来訪を、明代はどきどきして待った。緊張する一方で、うれしくもあった。息子がこれからの人生をともに過ごしていきたいと思える伴侶(はんりょ)に出会えたのなら、親としては喜ばしい。息子ももういい年齢(とし)だ。そういう相手がいないのか、ずっと気にはなっていた。

どんなひとだろう。息子の異性の好みなど聞いたこともないので、さっぱり予想がつかなかった。むろん、たとえどんなひとでも、親がつべこべ口出しするつもりはない。欲をいうなら、明代たちともそれなりに良好な関係を築けそうな女性であれば、申し分ない。いや、それも欲ばりすぎだろうか。息子を大事にしてくれるなら文句はない。ぐるぐると考えれば考えるほどに、不安も期待もいや増した。

いざ彼女と対面して、だから明代は一安心した。

カオリさんは、凜とした雰囲気のきれいなひとだった。礼儀正しく、それでいて堅苦しすぎず、会話の端々に知性がうかがえた。夫もひとめで好感を持ったようで、顔をほころばせていた。

互いに挨拶をすませるなり、夫はカオリさんを質問攻めにした。

息子から事前に教えてもらったのは、同じ会社の違う部署で働いているということだけだった。他にもいろいろと知っておきたいのは明代とて同じだけれど、それにしても面接みたいで失礼じゃないかとはらはらした。息子もむすっとしていた。しかし当のカオリさんは気を悪くするふうでもなく、出身地や学歴や家族構成や仕事について、ひとつひとつ丁寧に答えていった。

彼女が息子より年上だというのも、初耳だった。

「えっ？　ツトムのほうが三つも下なのか？」

夫のぶしつけな反応に、息子が苦々しげに割って入った。

「別にいいだろ」

「でも、年下って意識することってほとんどないですよ。ツトムさん、しっかり者だから」

カオリさんが如才なく切り返してくれて、場は一応おさまったが、夫の質問はそこでいったんとぎれた。さすがに少しは気まずくなったのかもしれない。

　短い沈黙を破ったのは、息子だった。

「一緒に住むことにしたから」

　いきなり宣言する。ああ、うん、と夫が面食らったように答えた。

「いいんじゃないか」

　同意を求めるように、明代を見やる。

「そうね、いいと思う」

　明代にも異存はなかった。ただ、ひとつだけひっかかった。

「籍は入れないの？」

　今どきは入籍前に同棲する男女も珍しくないようだが、親の立場としては、きちんとけじめをつけてほしい気がする。うちは男の子だからまだしも、カオリさんの親御さんに申し訳ない。

　息子がカオリさんとすばやく目を見かわした。

「入れない」

　きっぱりと答える。予期していた問いだったのかもしれない。

「なんで。入れたらいいのに」

　夫も割りこんでくる。

「中途半端に先延ばしにしたら、カオリさんにも悪いじゃないか」

年齢も年齢なんだし、とは口にこそ出さなかったけれど、顔に書いてあった。また失礼なことを、とひやひやしつつ、明代も内心では同感だった。

息子の性格からしても、こうしてはるばる実家まで出向いてきたことを考えても、真剣なつきあいなのだろう。いずれ一緒になるつもりなら、なにも引き延ばすことはない。人生の一大事の前で尻ごみする気持ちは経験者としてわからなくもないけれど、結婚には思いきりも必要だ。物事にはタイミングというものがある。

「そういうの、こだわらないから」

息子はにべもない。

「お前はこだわらなくても、女のひとはまた違うだろう」

引き続き、夫が明代の言いたいことをずばりと代弁してくれた。無神経な言動に気をもまされることも多いけれど、こういうときは助かる。

親子三人の視線が、しばらく黙っていたカオリさんに集まった。

「いえ。わたしは大丈夫です」

先刻までのよどみない応答と比べれば幾分ひかえめとはいえ、依然として平静な口ぶりだった。

「大丈夫というか、わたし自身もそうしたいんです」

なにか言おうとした息子を目で制し、淡々と言い添えた。

「わたし、一度失敗しているので」

「失敗？」

夫が間の抜けた声をもらした。

「え、なに？　カオリさんって、バツイチなの？」

険しい目つきで非難がましく父親をにらみつけている息子の横で、カオリさんが神妙にうなずいた。

駅前の通りはこぢんまりとした商店街になっていた。パン屋や花屋や薬局が立ち並び、飲食店もいくつか軒を連ねている。小さなスーパーマーケットの前を過ぎ、なだらかな坂にさしかかったあたりから、人通りはぐっと減った。左右を民家やアパートに挟まれた静かな道に、昼さがりの陽ざしが照りつけている。

荷物をひきとってくれた息子が先頭をゆき、手ぶらになった明代はその半歩後ろを、カオリさんと並んで歩いた。女ふたりは初対面に毛が生えたようなもので、息子に会話の糸口を作ってもらいたいところだが、そんな気の利く子ではない。しかたないので、明代から話しかけてみた。

「ごめんなさいね、お休みの日に押しかけちゃって」

「いえ、とんでもない。お目にかかれてうれしいです」

カオリさんはにこやかに答える。ほがらかな口ぶりは、無理をしているようには聞こえない。

「一度、うちにも来ていただきたいなと思ってましたし」

感じのいいお嬢さんだ、と前回の第一印象をなぞるように明代は思う。

よくいえば、そつがない。少々なさすぎるくらいで、つまり、悪くいえばいまひとつ本音が読めない。

「お父様も、お変わりありませんか」

「ええ。おかげさまで」

さっさと結婚しろって発破をかけといてくれ、と出がけに真顔で伝言を頼まれた。当然ながら、当人たちに馬鹿正直に伝える気はさらさらない。

夫はカオリさんのことを気に入っている。年上だのバツイチだのと口さがなく言うわりに、そういった、いわゆる世間的な価値基準にあまりとらわれないところは、夫の美点といっていい。明代自身も、年齢や離婚歴がまったく気にならないといえばうそになるけれど、案外すんなりと受け入れられた。ふだんから、どちらかといえば保守的な性格だと自覚はあるので、ちょっと拍子抜けしたくらいだった。

夫婦ともに、世間体だの慣習だのを持ち出して、やいやい言うつもりはない。ただ純粋に、息子たちが今後どうなるのかが気にかかっているだけだ。

息子がカオリさんに惚れこんでいるのは、傍目にも明らかだ。一方、カオリさんのほうはどうなのだろう。

もちろん、一緒に暮らそうと決意したくらいだから、相応の好意は持ってくれているはずだ。いたずらに男心をもてあそぶような悪女にも見えない。だが、もし息子ばかりが熱を上げているのだとしたら、なんだか不憫に思えるし、そんなぐあいで長続きするのかも心もとない。大丈夫かしらとつい夫にこぼしたら、お前はほんとに心配性だな、とあきれられた。

ふたりの問題なのだから親の出る幕はない。それは明代も重々承知している。気にしてもしかたない。せいぜい、うまくいくように祈るほかない。

七年ぶりに上京したのも、息子たちの新居を偵察するためではない。

主な目的は、高校の同窓会だ。明日、三連休の中日にあたる日曜の昼間に、母校から程近いシティホテルで開催される。ここ最近は東京に出てくる機会もめったにないし、せっかくなので前泊して息子たちと会おうと思い立った。

都内にある中高一貫の女子校に、明代は六年間通っていた。多感な思春期をともに過ごした同級生たちの間には独特の絆が育まれ、個人差はあるにせよ、母校に対する愛着も強い。定期的に同窓会が開かれ、出席率も低くない。

明代も独身時代には欠かさず足を運んでいたものの、結婚して東京を離れて以降は、数えるほどしか顔を出せていなかった。今年はたまたま卒業四十周年の節目にあたり、例年より大々的にとりおこなわれるというので、ひさびさに参加してみる気になった。かつて葉書で届いた案内は、いつからかメールにとってかわられている。出席の旨を返信したのは年明け早々で、まだカオリさんの存在すら知らなかった。

当初は、日帰りの予定だった。明代の住む町から東京まで特急列車で二時間半ばかり、その後の乗り換えを含めても、朝八時頃に家を出れば余裕でまにあう。日のあるうちに散会するはずで、帰りもそんなに遅くはならない。泊まるあてがあるならまだしも、ひとりでホテルに一泊するのは不経済だ。両親が健在だった頃は、上京する用事があると実家に泊まっていたが、それももう十年以上前の話になる。

息子の暮らすワンルームも論外だった。何年前だったか、なにかのついでに一度だけ立ち寄ったことがある。高層ビルの狭間に建つマンションは、窓を開けても隣の建物の壁にはばまれてろくに陽もささず、狭苦しくて息が詰まりそうだった。本人が言うには、とにもかくにも会社から近いという立地を最優先に選んだ部屋で、寝に帰るだけだから問題ないらしかった。そうはいってももう少しましなところに住めないものかと眉をひそめている母親を見かねたのだろう、息子は世間知らずな客をなだめる不動産屋よろしく、周辺の家賃相場を教えてくれた。とんでもない数字に明代は目をむき、それ以上はなにも言えなくなった。

あの独房じみたワンルームから、息子は晴れて脱出したわけだ。

このへんの家賃はいくらくらいだろう。下世話な好奇心だと自戒しつつも、明代は道沿いの家々に目を走らせる。息子が以前住んでいた、都会的というか無機質というか、そこはかとなく殺伐とした風情の漂っていた界隈に比べて、ずいぶんのどかな町並みだ。明代の実家があった郊外の街とも、たいして変わらない。

もっとも、平凡な住宅街のように見えても、二十三区内の便利な場所だ。具体的な金額を聞けば、ひょっとしたら明代はまた絶句させられてしまうのかもしれない。ただ、家賃はふたりで折半しているのだろうから、ひとり暮らしよりは多少なりとも上等な家に住めるはずだった。

「あれです」

坂を上りきる手前で角を曲がると、カオリさんが路地のつきあたりを指さした。

渋いレンガ色の外壁の、低層マンションだった。建物の周りは植えこみで囲まれ、あちこちのベランダで洗濯ものが風にはためいている。陽あたりは悪くなさそうで、明代はひとまずほっとした。

明代の予想したとおり、南向きのリビングは明るかった。

一方で、室内の様子は、予想とはやや異なっていた。カオリさんの隙のない印象からして、洗練されたモデルルームのような部屋を明代は漠然と想像していたが、そこまできっちりと片づいているわけではない。ソファの隅に郵便物が重ねられ、カウンターの上には調味料の小瓶がごちゃごちゃと並び、ぎゅうぎゅう詰めの本棚のてっぺんに、おさまりきらない数冊が平積みされている。

「散らかっててすみません。うち、ものが多くて」

さりげなく部屋の中を見回している明代の視線に気づいたのか、カオリさんが申し訳なさそうに謝った。

「いえいえ。いいおうちね」

明代はあわてて言った。品定めしているように受けとられては困る。あながち社交辞令でもない。あんまり整頓されすぎているよりも、このくらい生活感があったほうがくつろげる。それに、家具も雑貨もどことなくおしゃれだ。ことさらに目立つデザインだったり高級そうだったりするわけでもないのに、品がある。カオリさんのセンスかもしれない。

「コーヒーと紅茶、どっちがいい？」

息子がたずねた。ここでひと休みさせてもらってから、早めの夕食を三人でとることになっている。近所のレストランに予約を入れてあるらしい。

「じゃあ、コーヒーをいただこうかな」

「了解」

明代をソファに座らせると、息子とカオリさんはキッチンに入っていった。てきぱきと立ち働くふたりの姿を、明代はカウンター越しに眺めるともなく眺めた。息子がコーヒーを淹れる間に、カオリさんが茶菓子を用意してくれているようだ。食器を手渡したり、短く言葉をかわしたり、ちょっとしたしぐさから、日頃の様子もなんとなく想像できる。お似合いじゃないの、とひそかに思う。

ふたりとも、なんというか、自然だ。陽あたりのいいこの部屋に、実にしっくりとなじんでいる。彼らの家なのだから、なじんでいてあたりまえといえばあたりまえだけれど、明代のあずかり知らない息子の日常がここで営まれていると思うと、なんとはなしに感慨深い。

相変わらず、結婚するつもりはないんだろうか。

どんな相手でも、一緒に暮らしてみないとわからないことはある。ましてや一度つまずいた経験があるのなら、及び腰になるのも無理はないのかもしれない。でも、半年もひとつ屋根の下で生活をともにすれば、互いにやっていけそうかどうかは見当がつきそうなものだ。そろそろ決心してもいい頃合ではないだろうか。

つらつらと物思いにふけっていると、コーヒーのいい匂いが漂ってきた。

明代は気を取り直し、腰を浮かせた。窓辺に近寄って外をのぞいてみる。部屋は四階で、すばらしい眺望とまではいえないものの、視界がひらけていて気持ちがいい。家々の屋根が連なる先に、細長いビルが背丈を競いあうようににょきにょき建っている。存外、緑が多い。木々がもくもくと生い茂り、ちょっとした森のように見える一帯がひときわ目をひいた。近くに有名な神社があるんですよ、と来る道すがらカオリさんが教えてくれたのは、あれかもしれない。

高く澄んだ空を見上げて、気持ちを切り替える。

よけいなことは言うまいと心に決めている。気になるのはわかるけど、あんまり干渉したら鬱陶しがられるぞ、と夫にもからかい半分に釘を刺された。あなただってずけずけ遠慮のない物言いばっかりするくせに、と応戦したものの、でしゃばるなという意見には一理ある。

明代とて、息子のやることにとやかく文句をつけるつもりはない。もう一人前のおとなだ。物理的にも精神的にも自立している。そもそも、一人前のおとなになる以前から、明代はわが子の自主性をできるだけ重んじるように心がけてきた。

もっとも、その境地に至るまでには、紆余曲折があった。息子がごく幼かった頃を振り返れば、われながら過保護な親だったと認めざるをえない。

息子が病弱だったせいもある。しょっちゅう熱を出したり体調をくずしたりして、青くなって病院に駆けこんだものだ。食が細く、身長も体重も平均を下回っていて、検診を受けるたびに明代は憂鬱になった。幼稚園でも、他の子たちに比べて明らかに発達が遅く、周りについていけていない様子だった。お遊戯の歌やダンスをなかなか覚えられず、かけっこは必ずびりで、絵や工作も時間内にしあげられない。ひっこみ思案な性格が禍して、友達もできなかった。明代が迎えに行くと、たいてい息子はひとりぼっちで教室や園庭の隅にぽつんと突っ立っていた。活発に遊んでいる園児たちの輪に入れず、所在なげにぼんやりしているわが子の姿を目のあたりにして、明代は胸が詰まった。

勇気を出してお友達に話しかけてごらんと息子を励ましたり、どうしたらいいものかと先生に相談したりもした。善処するとは言ってもらえたものの、いじめられたり仲間はずれにされたりしているわけではないので、これといって対処のしようがない。年少組の一年間、明代は日々やきもきさせられっぱなしだった。

それでも、年中組に上がる頃には、息子は少しずつ園になじんでいった。

うまくできないことがあれば、先生ばかりでなく、おませな女児たちもこぞって世話を焼いてくれるらしかった。手助けはありがたいし、「人気者だな。将来が楽しみだ」と夫は能天気に喜んでいたけれど、対等な友達というよりは半人前の弟か、下手をするとペットをかわいがるような感覚で面倒を見てもらっているようにも見受けられ、明代は少々複雑な気分だった。

そんな息子が小学校に上がるとなると、明代の不安はいっそう募った。

一応、幼稚園から小学校に申し送りをしてくれるとは聞いていたが、どれだけあてにできるものやら疑わしい。そこで、新学期早々に学校まで出向き、理解と協力を求めることにした。

一年一組の担任になった高村先生は、ベテランの女性教師だった。

当時、四十代の後半くらいだったろうか。どちらかといえば小柄なのに、姿勢がいいからか、所作が堂々としているからか、独特の存在感と威厳があった。なにもかも見通しているかのような、まっすぐなまなざしを向けられると、それこそ小学生に戻ったみたいに背筋が伸びた。

総じて若く優しげだった幼稚園の先生方とは、かなり雰囲気が違う。しかし息子のためにはひるんでもいられない。少々気後れしつつも、明代は息子についての懸念を訴えた。人見知りしがちで大勢の集まる場が苦手なこと、集団行動で遅れをとりやすいこと、幼稚園では周りの子たちになにかと助けてもらっていたことなどをひとくさり説明した上で、おそるおそる打診してみた。

「置いてけぼりになってしまわないように、できれば先生のほうでも気にかけていただけませんか」

　明代の話にじっと耳を傾けていた高村先生は、快諾してくれた。

「わかりました。なるべく注意して見ておきます」

「ご迷惑をおかけして、申し訳ありません」

　明代が詫びようとしたら、「なんにも謝っていただくことはありませんよ」と即座にさえぎられた。

「お子さんの様子をしっかり見ることが、わたくしたちの仕事ですから」

　その次に先生と話したのは、翌月の家庭訪問のときだった。

「ツトムくんはよくがんばっていますよ」

　開口一番にほめられて、明代は胸をなでおろした。

　がんばっているのは息子だけではなかった。明代は毎日つきっきりで宿題を見てやり、忘れものがないようにランドセルの中身を念入りに確認し、保護者向けの配布物を隅々まで熟読していた。

　一番の楽しみは、ときどき連絡帳に赤ペンで書き入れられている先生のコメントを読むことだった。

　最近息子が取り組んでいることや、やりとげたことなどが、書き取りのお手本として使えそうなととのった筆跡で綴られている。「今日はどうだった?」と本人にたずねても、「楽しかった」とか「普通」とか「疲れた」とか、ぱっとしない答えしか返ってこないから、先生からのひとことは息子が教室でどう過ごしているかを知るための貴重な手がかりとなっていた。

幸い、新生活のすべり出しは、まずまず順調といってよさそうだった。一方で、明代の気がかりはまだ完全に消えたわけではなかった。

高村先生はお世辞を言うようなタイプではなさそうだし、息子が息子なりに一生懸命やっているのは事実なのだろう。ただ、他の子たちと同じようにできているかどうかは、また別の問題だ。

「やることが遅くて、クラスの皆さんの足をひっぱってしまっていませんか」

明代がたずねると、先生は率直に答えてくれた。

「確かに、多少時間がかかっているときはありますね」

「やっぱり、そうですか」

明代は肩を落とした。当人ががんばっているのだから、認めてやりたいと思いつつも、落ちこぼれてしまったらどうしようと恐怖も覚える。

「でもそれは、じっくり考えてから動くからだと思います」

明代の落胆を察したのか、先生はとりなしてくれた。

「むしろ長所ですよ。ただ指示に従うだけじゃなくて、ちゃんと自分の頭を使って考えているわけですから」

「そうでしょうか」

行動を起こす前に方針や手順を思案しているのならいいが、どうすべきかわからなくて途方に暮れているようにしか見えないときもままある。

「ええ。もし本当にわからなければ、質問してくれますしね」

明代の心を読みとったかのように、先生が言い添えた。

「あの子が？」

明代はぽかんとした。質問であれなんであれ、息子が大勢の中で自分から声を上げるなんて信じがたかった。

「ええ。うちのクラスでは、質問は大歓迎なんです」

わからないことがあっても恥ずかしくない、わからないことをわからないままで放っておくと後でもっと恥ずかしい思いをすることになりかねない、と折にふれて言い聞かせているそうだ。

「なんにも考えないでとりあえず質問しちゃう子もいますけど、ツトムくんはまず自分で考えて、それでもわからないときにだけ聞いてくれますよ」

先生はにっこりして言った。

「おうちでもそうじゃないですか？」

水を向けられて、明代はどきりとした。

ふだん息子と話しているとき、質問するのはもっぱら明代のほうだ。「学校はどうだった？」「おなかいっぱいになった？」「寒くない？」「お昼はなに食べたい？」「明日はどこ行こうか？」

息子が無口な分、自ずとこちらの口数が増え、結果的に会話を主導することになってしまうのだとばかり思っていたけれど、もしかしたらそうとも限らないのだろうか。息子がなにか言いたくても、聞きたいことが頭に浮かんでいても、それを言語化して口に出すまで、明代がじゅうぶん待ってやれていないのかもしれない。

自分から質問しておいて、息子がいつまでも考えこんでいるとしびれを切らし、「セーター着たら？」「オムライスはどう？」「水族館に行こうか？」などと先回りしてたたみかけてしまうときさえある。考えをまとめるために必要な時間を与えられないまま、勝手に先へ先へと話を進められては、息子も口をつぐむしかないだろう。

うなだれている明代に、「お気持ちはわかりますよ」と高村先生は落ち着いた口ぶりで言った。

「でも、もう少し本人の力を信じて、一歩ひいて見守ってあげられるといいかもしれませんね」


〈つづく〉

PHP文芸文庫

その曲は、人々を魅了し
突き動かす――。
衝動と諦念の狭間で
藻掻く六人と、二十七歳の
若さで亡くなった音楽青年の
生涯を描く感動作。

青羽 悠 著

彼女は逃げ切れなかった　第六回

ふたりは愛し合い切れなかった［後編］

西澤保彦
Nishizawa Yasuhiko

こちらは全然かまわないけど、とわたしが返答するよりも早く、ほたるはさっさと「はい、ＯＫです。んじゃ。お待ちしておりまーす」と快諾し。「筈尾さんにお会いできるのを、母もとても、とっても心待ちにしておりますので」と勝手に付け加えておいてから、通話を切った。

なんなんだ、とてもとっても、って。まあ別にいいけど。「被害者の身元が判った、ってことは。くだんの浮須啓心も、ようやく重い口を開き始めたか」

「いえ、そちらは女性の持ち物から調べがついたようで。肝心の啓心の取り調べのほうは依然として座礁状態のまま。にっちもさっちも動かない。そこへもってきて、彼の現場不在、すなわち無罪であることを自分が証明いたします、という人物が現れたらしい」

「ほう。啓心は問題の女性を殺害してはいない、と？　いったいどこの誰が、そんな申し立てを？」

「まだそこまでは、なんとも。詳しいことは筈尾さんが来てから、だけど。ただ、もしも浮須啓心が、ほんとうは無実なのにもかかわらず自首したのだとしたら、またしても彼は誰かを庇（かば）おうとしている……ってことですかね？　あたかも十八年前の、自分の妻の殺害事件のときの再現が如（ごと）く？」

　二〇〇四年に妻の翁長（おなが）木綿子（ゆうこ）を殺（あや）めたと自首した、当時の旧姓翁長啓心。その際に取り調べに当たった女性刑事、すなわちこのわたしがもしもまだ現役ならば話をさせてもらいたい、という意味のことを彼は今回、口にしたらしい。その真意とは……「ひょっとしてなにか、謎かけのつもりなのか」

「え？」

「わたしをご指名あそばした理由は、なんだったんだろ。十八年前の翁長木綿子殺しは旧姓翁長啓心の犯行ではなく、彼はただ真犯人の身代わりになろうとしただけだった、という経緯はみんな知っている。ましてや当時の元担当刑事だった纐纈（こうけつ）古都乃（との）が認識していないわけがない。啓心は今回それを百も承知の上で敢（あ）えて、わたしと話したい、などと言い出した。わざわざそう願い出るからには、なにか相応の思惑があるはずだ」

「というと」ほたるは首を傾げた。「例えばだけど。今回の件も決して表書き通りの真相じゃないんだ、とか。なにかそんな示唆でもしたいのか。ただし自らはそれをストレートに説明しにくい事情があるので、昔の件にも精通するお母さんになんとか察してもらう、というかたちに持ってゆきたい、とか？」

さきほど「願い出る」という表現をしたのはまったくの無意識で、なにか深く考えての言葉選びではないつもりだったのだが。自身の科白を反芻しているうちに、その響きが妙な切実さを帯びてくる。すなわち浮須啓心なる男が警察に通報したのは決して自首するためではなく、二〇〇四年の事件を蒸し返すことそのものが目的なのではないか、と。よけいな先入観は禁物と自戒しつつ、だんだんそんな気もしてくる。

「さて、どうだろ。とにかく先ず、今回の事件の詳細を聞いてみないことには」

「ですね。七時までには来られそうとのことなので、のちほどよろしく。あ。しえりちゃんに買ってもらったケーキ、筈尾さんにもお出ししていいですよね？」

＊

「被害者の名前は平櫛英恵、四十二歳。県庁のすぐ近くに在る〈谷地森司法書士事務所〉に勤務する司法書士の方です」

パソコンで即席自作したとおぼしき資料を枚数でも確認するかのようにぱらぱら捲っていた筈尾くん、ダブルクリップでまとめたその束の上下をおもむろに入れ換えてテーブルの上に置くと、掌を滑らせるようにしてわたしのほうへ差し出してくる。髪を結い上げて額をすっきり見せる顔写真の『平櫛英恵』名義の運転免許証や、谷地森の部分に『やちもり』とルビを振った所属事務所の住所と代表電話番号が記された名刺、そして彼女の司法書士会の会員証などの写しが、まとめて掲載されている箇所を指さした。

「遺体といっしょに発見されている被害者の所持品は、この他にスマートフォン。こちらは現在、ＳＮＳの履歴などを詳しく調べているところです」

前回までのあらすじ

警察を早期退職した纐纈古都乃は、旧友の久志本刻子からの頼まれ事をきっかけに、不思議な能力を持つ双子の姉妹と親交を持つようになる。ある日、殺人事件で逮捕された男が、取り調べの最中「纐纈という刑事と話したい」と要望を出す。古都乃の義理の娘で現職刑事の纐纈ほたるが駆り出されるが違うようで……。

　筈尾くんとは先々月にも、およそ五年ぶりくらいだったろうか、わたしの早期退職以来ひさしぶりに顔を合わせた。こちらは一般市民の立場として、たまたま遭遇した某轢き逃げ事件に関する事情聴取を受けたのだが。そのときも彼の昔とまったく変わらぬ、悠揚迫らざる所作になんとも、しみじみ感じ入ったものだった。

「平櫛英恵さんに結婚歴はなく、お子さんもいない。ご高齢の祖父とご両親、そしてシングルマザーの妹さんとの四世代で同居されていたそうです」

　初めて会ったのは二十年くらい前か。その頃から筈尾くんというひとの醸し出す雰囲気は、泰然自若のひとことで一貫している。いま「あ。どうもありがと」と、ほたるから湯気の立ち昇るコーヒーカップをソーサーごと押し戴くそのなんの変哲もない仕種すら妙に浮世離れている、というか。わたしより優にひと廻り以上は歳下の、これといった特徴の無い平々凡々な若輩者のふりをしているけれど、筈尾くん、きみってさ、ほんとは人生を回るのはすでに五周目か、六周目くらいなんじゃないの？　みたいな。

「現場である〈ことだま荘〉の近所のコインパーキングに、一台の軽乗用車が停められたままになっていて、これが平櫛英恵さん名義のものだと確認されています」

　そういえば筈尾くんが我が家を訪問するのは今夜が初めてのはずだ。なのに、ひょっとして以前わたしが与り知らぬうちに長期間、ここで下宿していたことでもあったんじゃないの、みたいな。そんなけったいな妄想にかられてしまうくらい彼の姿はすでに、この家の風景に溶け込み、馴染(なじ)んでいる。

　通常であれば来客はリビングのソファへご案内して座っていただくはずが、続きの間とはいえ筈尾くんはいまダイニングのほうのテーブルに落ち着き、ほたるとわたしと対面している。こちらが指図したり、向こうが希望したりしたわけでもなんでもなく、ごく自然にすんなりと、そう納まった恰好(かっこう)。

　かように家族の一員も同然の振る舞いが阿吽(あうん)の呼吸で許容されるのは、彼のかつての、そして現在のそれぞれ同僚であるわたしたち母娘(おやこ)との親しい関係性に鑑(かんが)みればなんの不思議もないではないかと、そう考える向きも当然あるだろう。だが、ちがう。たとえこれが筈尾くんとは初対面の赤の他人たちの家庭だとしても、きっと同じ現象が起こる。

　一般的にも相手の胸襟(きょうきん)を自覚なしに開かせてしまう術(すべ)が巧(たく)みな者など別にめずらしくないけれど、筈尾くんはもはや異次元の域で、譬(たと)えるなら座敷童子(ざしきわらし)的とでも言おうか。彼がその場に居合わせる合理的目的や必然性がまったく不明であろうとも、誰もその存在を不思議とか、不快とか感じたりしない。

　これってすごいことだ、とわたしは思う。だって、どれほど親しい間柄であろうとも、生身の他者とは突き詰めると、自分にとって結局のところは異物でしかない。言葉は悪いけれど、基本的に邪魔臭く感じるのが人間の性であり、通有性ってものだ。なのに筈尾くんは、我々が逃れられないはずのその原始的な忌避感覚を無効化してしまう。

なんだか超常能力の説明でもしている気分になってくるけれど。いわゆるメフィストフェレスだってきっと、こういう無味無臭な風貌をして群衆に紛れ込んでいるにちがいないのだ。真の悪魔とは万人に判りやすく恐ろしげなご面相とは無縁で、例えば夜道でなんの脈絡もなく鉢合わせしようとも、相手に警戒心どころか違和感すら抱かせない。

筈尾くんも世が世なら、例えば国家をひとつ丸ごと裏から操るフィクサーとか世界的スケールのラスボスに化けていてもおかしくなさそう。アホな妄想だと割り切っていてもなお恐ろしい。筈尾くんがとりあえずは法の正義を守る側に居てくれる現状を、心から神に感謝するわたしである。いやマジで。

「平櫛英恵とはどういう関係なのか、と啓心に訊いても相変わらず埒が明かない。そんな彼のスマホに、身内だという人物から着信があって。任意で素性を確認してみると、名前は古志スミレ、五十六歳。市内で洋品店を経営する女性ですが。浮須啓心とは現在、内縁関係にあるそうで」

「同居している、ってこと？　現場の〈ことだま荘〉で？」

「いえ。くだんのアパートは実は浮須啓心の住居ではありません。一〇五号室を借りているのは別人です。ただし、部屋の賃貸契約に当たってての保証人は浮須啓心になっている。この事実からお察しかもと存じますが。〈ことだま荘〉の問題の部屋に独りで住んでいたのは、大久利威雄という男です」

浮須啓心の息子の？　ほたるも驚いたのだろう、眼を瞠っている。口を開きかけた彼女を筈尾くん、さりげなく手で制した。

「我々は古志スミレに事情聴取の協力をお願いした。すると彼女、啓心が平櫛英恵を刺殺したと自首してきていると知って泡を吹かんばかりに仰天。そんな馬鹿げた話はあり得ません、と息巻いた。曰く啓心は昨夜、少なくとも前日の夕方から午前零時頃まで、ずっと自宅であたしといっしょに居ました。ほんとです。なのに、いったいどうやって英恵さんを殺せる道理があるんですか、と」

その口ぶりからして、どうやら浮須啓心の内縁の妻というのは被害者の女性とも面識があるらしい。我ながら不謹慎な譬えだが、なにか演劇のプログラムでも見せられているような気分に陥る。いよいよ役者たちが揃ってきたな、みたいな。そして演出と監督は浮須啓心。制作陣クレジットのなかで彼の名前だけ苗字と下の名前のあいだに括弧付きで（翁長）と入っているところがミソで、彼は過去と現在の二部構成舞台のそれぞれ主要キャストをも兼ねている、という趣向。

「司法解剖はこれからですが、いまのところ平櫛英恵の死亡推定時刻は二十六日、月曜日の午後七時から十時頃までのあいだではないかと見られている。もしも古志スミレの供述が嘘ではないとしたら、彼女の自宅は〈ことだま荘〉から車でも二十分以上はかかりそうな距離なので、たしかに浮須啓心に犯行は不可能だった、ということになる」

「自分がやったと主張している啓心にはアリバイがあり、殺害現場は他ならぬ彼の息子が独り暮らしをしているアパート、ときたか。まるで十八年前、彼が翁長啓心だったときの事件の構図をことごとく、なぞっているかのようだが。さて。これは作為的なのか、それとも単なる偶然なのか」

「当時担当だった古都乃さんとしてはやっぱり、そこがいちばん気になりますよね」

浮須啓心が書いた台本の末尾に「纐纈古都乃」の名前が勝手に「監修」かなにかとしてクレジットされているような居心地の悪い気分だしな……とは言わないでおく。

「筈尾さんも捜査に携わっていたんですか、その二〇〇四年の事件の？」

筈尾くん、ほたるに頷いてみせる。「古都乃さんにご指導いただくようになって間もない頃で。個人的にはいろいろ勉強させてもらった。ただ率直に言うと捜査を通して、さほど強く記憶に残るような事件ではなかった。わりとすんなり解決したし、変な言い方だけど、とっくの昔に忘れ去っているほうがむしろ自然なくらいの。にもかかわらず我ながら意外なくらい未だに印象的なのは、奇妙な後日談があったせい、かな」

「後日談？　とは、どういう」

「大久利威雄は、実父の再婚相手である翁長木綿子殺害の罪で起訴され、裁判では懲役十二年の実刑判決が下る。威雄側はこれに控訴しなかったため、刑が確定した。ところが話はここで終わらず。その後、しばらくして世間では、この翁長木綿子殺害事件について、ある疑惑が囁かれるようになる」

　酔い醒ましのブラックコーヒーを普段よりも苦く感じながら、わたしは筈尾くんの後を引き取った。「たしか某暴露系雑誌だったと思うが。事件は大久利威雄の犯行ではなく、真犯人が別にいたのではないかと、かなりスキャンダラスな論調で検証されていた」

「威雄本人が潔く罪を認めて、服役しているのに？　どこからそんな話が？」

「ソースは不明だけれど。どうも関係者のあいだでは最初から、事件の様相そのものが不自然で、絶対に裏がある、という見方が共有されていたらしい。どこがそんなにおかしいのかというと。具体的には先ず被害者の夫、翁長啓心が明らかに無実なのにもかかわらず自首した、という事実」

「それは彼が、実の息子である大久利威雄を庇おうとしたから、でしょ？　不自然どころか、それが人情だという気がしますが」

「問題だったのは、自首した後で翁長啓心のアリバイが成立した経緯のほうだ。妻を手にかけたと主張する彼を取り調べているところへ、犯行時間帯に啓心は自分といっしょに自宅に居ました、と証言する人物が現れた。しかもこの自宅というのが、なんと、他ならぬ翁長邸。それもそのはず、翁長啓心のアリバイを証言したのは彼の家族で。当時高校生だった義理の娘、翁長明穂」

「翁長木綿子の連れ子という娘ですね」

「翁長明穂が継父のアリバイを証言するのはいいとしても、彼と当該時間帯にいっしょに居たとされるのが自宅、すなわち他ならぬ殺害現場のはずの翁長邸とはいったいどういうことだ、と。結論から言えばそもそも第一現場の申告からしてまるで出鱈目で、ここから一気に翁長啓心の供述が根底から瓦解してゆくわけだが。くだんの後日談の説明をする前に、ざっと翁長木綿子殺害事件の概要を整理し、おさらいしておこう。先ず啓心が警察に通報したのは翁長邸の固定電話からだった。たったいま妻の翁長木綿子を自宅で殺めてしまった、すぐに来て欲しい、と」

「まるで今回のヤマのリハーサルかなにかだったかの如く、段取りが丸写しな。

あ。すみません。どうぞ先を」

「警官たちが翁長邸へ駈けつけ、啓心が出迎える。ほたるが言うとおり、この後もまさに今回の事件と相似形の筋書きが進行するんだが。玄関口に翁長木綿子が倒れていて、その場で死亡が確認される。翁長啓心は改めて、自分が妻を手にかけた、と認めたため一旦は逮捕される。取り調べにも素直に応じ、事件はそのまま一件落着か、とも思われた。ところが。現場検証を進めるにつれ、翁長啓心の供述とは明らかに矛盾する、しかもこれでは公判なぞ到底維持できそうにもないほど不審な点が次々と出てくる」

「例えば」と今度は筈尾くんが、わたしの後を引き取った。「被害者の翁長木綿子は外出着姿だったが、その点について啓心はこう説明する。夫婦で外へ食事にいっていました。その帰りの車のなかで、些細なことで口喧嘩になった。自宅へ到着し、車から降りた後も互いに興奮はおさまらない。感情が爆発し、家の玄関口で衝動的に妻の頭を殴り、首を絞めてしまったのです、と」

「一見もっともらしいんだが。被害者を殴打した、というのが……」奇しくもそのタイミングで傾けかけたわたしのコーヒーカップの中味はもう空だった。「マグカップなんだ。殴打の衝撃で把手がもげていて、翁長木綿子のものと一致する血痕も検出されたので、それが凶器であることはまちがいない。が、いやいや。衝動的な犯行のはずなのに、なんでそんなものが、そのとき都合よく手近に在ったんだ？　そう訊かれた啓心曰く、なぜかは知らないが、たまたま玄関の靴箱の上に置きっぱなしになっていたんです、だとさ。そのふざけた答えを仮に百歩くらい譲るとして、では遺体の痕跡からして素手による扼殺でないことは明らかな被害者の首を絞めるのには、なにを使ったのか？　そう訊かれると、自分のベルトです。一旦ズボンから外して、妻を絞殺した後、また締め直したんです、と」

「とっさに取ったのだという行動にしては妙に手慣れ過ぎた印象で、逆に不自然かも」

「それ以前の問題だ。遺体の頸部の索条痕が啓心のベルトの形状とまるで異なっていることは素人目にも歴然としている。おまけに、さらに綿密に調べてみると。そもそも翁長邸の玄関口には、被害者の殴打された際の血痕も含め、犯人と争ったものとおぼしき痕跡がいっさい見当たらない。どうやら犯行の第一現場は自宅ではなく、別のところだと。当たりをつけて啓心のセダンを調べてみると。果たして後部座席から、被害者の遺体を積み込んでいたとおぼしき痕跡が発見された」

「つまり翁長啓心は、どこか他の場所で妻の木綿子を殺害した後、彼女の遺体を自宅まで苦労して運んできておいてから、ようやっと警察に通報した、と。そういう手順になるわけですか。なぜわざわざ、そんな二度手間をかけなければならなかっないい」

「それを啓心は説明できない。いくら問い質されても。そもそも妻と食事に行っていたと言うが、それはいったいどこの、なんていう店なのか。それすらも答えられない」

「どこで食事をしたか、なんかではなく。どこで妻を手にかけたのか、が問題で」

「その点について啓心が頑として黙秘を続けているところへ登場したのが彼の義理の娘、翁長明穂だ。母親が殺害されたと考えられる時間帯に、自分は継父といっしょに居た、と彼女は証言。しかもなんと、その場所とは他ならぬ自宅。翁長邸だ、と言うんだ」

「それは明穂が犯行現場に居合わせたという意味ではもちろんなく。その証言によって、翁長木綿子が殺されたのは自宅以外の場所であると、さらに裏付けられたわけですね」

「明穂の供述を、ざっとまとめてみよう。当日の夜、母親の木綿子は旧友と約束があるとかで外出し、不在。自宅の居間で明穂は、たまたま啓心とふたりきりで過ごしていた。そこへ啓心のケータイに電話がかかってくる。二〇〇四年の話なのでまだガラケー。相手が誰なのかや、なんのやりとりをしているのかは判らなかったが、しばらくして通話を切った啓心は明穂に、こう告げる。すまないが、これから急遽(きゅうきょ)、出かけなければならなくなった。ついては明穂が自宅で独りで留守番するのも不用心なので、今夜は誰か信頼できる友だちの家に泊めてもらいなさい、と」

「当時もう高校生だった娘を説得するには余りにも唐突で稚拙(ちせつ)、かつ胡散(うさん)臭すぎの妄言ですが、まさか、そのままゴリ押し？」

「問答無用。説明もいっさい抜き。啓心は車で明穂をむりやり某友人宅へ送り届け、そこで一夜を過ごさせる。後で詳しく触れるが、これは明らかに娘を安全圏へ遠ざけておく、すなわち彼女にアリバイを確保させるための措置(そち)だったはず。となると問題はその後、啓心が車でどこへ向かったのか、だ。心当たりを訊かれた明穂は、おそらく威雄さんのところではないでしょうか。少なくともあたしは他に思いつきません、と。折しもその証言と前後して、当の大久利威雄が警察へ出頭してきた。翁長木綿子さんを殺したのは父の啓心ではなく、ぼくです……と」

「彼が言うには、木綿子さんとぼくは道ならぬ関係に陥っていたんです、と」未だ手つかずのガトーショコラに視線を据(す)える姿勢で筈尾くん、淡々と。「その日も木綿子さんは古い友人に会うからと家族には嘘をついて、実はぼくが住むワンルームマンションの一室へ来ていました。ところが逢瀬(おうせ)の最中、些細な感情的いきちがいから彼女と激しい諍(いさか)いになってしまった。度を失った勢いで衝動的に、たまたま手許にあったマグカップで木綿子さんの頭を殴った上、パンストで彼女の首を絞めてしまったんです、と」

「え。パンスト？　って、木綿子の？」

「といっても彼女がその場で脱いだわけではなく、以前の密会の際に部屋に忘れていったものだ、と威雄は言うんだが。実はこの絞殺に使った凶器の問題は後々、くだんの後日談にも絡んで重要になってくる。なので、しっかり頭に留めておいてちょうだい」

　大久利威雄の供述に従い、わたしたち捜査班は〈海里ハウス〉というワンルームマンションの彼の部屋を調べる。すると、ベッドの傍らの床から見つかった血痕と毛髪のDNA型が翁長木綿子のものと一致。凶器のマグカップからも威雄の指紋が検出された。

「ちなみにこのマグカップだが、既製品ではなく、陶芸が趣味だという威雄の母親、大久利数江が造ったもので。息子が独り暮らしをするに当たって他の調理器具や食器などといっしょに持たせたものらしい」

　大久利威雄の母親の名前が数江であることを、わたしは今回、筈尾くん持参の資料を見るまですっかり忘れていた。

「うっかり木綿子を死なせてしまった威雄は我に返り、慌てて翁長啓心のケータイに電話をした。実父の再婚相手との不適切な関係を含めたことの次第を洗いざらい白状し、これから警察へ行きます、と告げる。それを啓心が必死で止めた、と言うんだ。待て、わたしもいまからすぐにそこへ行くから、早まるんじゃない、じっとしていろ、と」

「それが翁長邸の居間で明穂が同席している際に、かかってきたという電話ですか」

「明穂を友人宅へ送り届けた啓心は、その足で〈海里ハウス〉へ向かう。そして威雄を説得した。若いおまえの将来をここで潰すわけにはいかない。代わりにわたしが罪を被る、と。威雄も一旦は絆(ほだ)されて父親に手を貸し、ふたりで翁長木綿子の遺体を啓心のセダンの後部座席に積み込んだ」

「凶器もいっしょに？」

「自宅で殺害したと言っているのに、現場のはずの翁長邸のどこにも凶器が無いと不自然に思われる。壊れたマグカップは血痕などの残留物を考慮すると、へたに代用品でごまかそうとしないほうが得策だろうと判断し、遺体といっしょに自宅へ運び込む。しかし首を絞めたパンストのほうは逆に、そのままにしておくのはなにかとまずい。なぜそんなものを凶行に使ったのかと訊かれて、たまたま自宅の玄関口に脱ぎ捨てられていたからです、なんて与太を吹いたところで失笑されるのがオチだろう。結局パンストは遺体の頸部から取り外し、啓心が自分のベルトで絞殺したという設定で妥協した、と」

「本物の凶器のほうは、では結局、どうしたんです？」

「処分しておくようにと啓心から指示され、可燃ゴミに混ぜて遺棄した、というのが大久利威雄の主張だ。が、ここで再度、注意喚起しておこう。ほたるはいま、本物の凶器、という言い方をした。けれど、翁長木綿子が実際にはなにで首を絞められたのか、厳密には特定されていないんだ。現在に至るまで」

「ああ……なるほど」と、ほたるが意味ありげに眼を細めたのは、言うところの後日談へと続く道筋の要点を見極めたからか。「パンストで絞殺したというのはただ威雄が、そして啓心がそう言っているだけ、ってことですね。なるほどなるほど。結局、凶器の現物は見つからずじまいで」

　威雄を伴い自宅へ取って返した翁長啓心は再び息子の手を借り、妻の遺体を屋内へ運び込む。「外食から帰路の車中で言い争いになった木綿子を家に到着直後に殺害した、という筋書きにするために、玄関の沓脱ぎのところに横たえる。威雄を立ち去らせた啓心は警察に通報し、自分がやった、と主張するもののそこは急ごしらえの偽装の哀しさ、ボロが出まくる。それでもなんとか踏ん張ろうとしているところへ、翁長明穂が継父のアリバイを証言し、ついには庇おうとしていた大久利威雄までもが自ら出頭してしまったため、啓心も観念せざるを得なかった、と。十八年前の事件の概要は、ざっとそんな感じ」

「裁判が結審し、刑が確定した後で、どこからともなく疑惑が囁かれ始めた」筈尾くん、おもむろにフォークを手に取ると、ガトーショコラを切り分けた。「真犯人は大久利威雄ではなかったんじゃないか、と」

「最初にそう告発したのは威雄の母親の大久利数江だった、というのが定説になっているようだが。彼女本人は、わたしが直接会って話した際、マスコミと接触したことを否定している。ただ気になったのは、数江が息子の無実を信じるのは当然として、その根拠のほうだった。数江曰く、そもそも威雄には翁長木綿子を殺す動機が無いはずです、と」

「それはつまり、翁長木綿子と大久利威雄とのあいだに男女関係なんかほんとうは無かったはずだ、という意味ですか？」

「母親だからこそ、息子の女性の趣味は手に取るように判るんです。威雄がひそかに深い関係に陥っていたのは絶対に翁長木綿子ではない。まちがいありません。彼女の娘の明穂のほうだったんです、と」

「実際、威雄自身が事件後に認めているんですものね。ぼくは明穂に想いを寄せていた。なのにあろうことか、その彼女から母親との関係を疑われて憤慨(ふんがい)し、当てつけのために木綿子と不義の関係を結んだんだ、と。しかしこうなってみると、その言い分がそもそも虚偽だったのかもしれない」

「仮に彼女の母親との関係を明穂に疑われたことが実際にあったのだとしても、それを受けて大久利威雄がほんとうに当てつけで翁長木綿子と肉体的交渉に及んだかどうかは判らない。むしろ威雄がそんな口を噤んでさえいれば隠蔽できていたかもしれない歳上女性との醜聞を自ら暴露するのは本命、すなわち娘の明穂との関係をカモフラージュしたかったからじゃないか、と思えてくる。ここで翁長明穂は当時まだ高校生だった、という事実に着目しよう。自分の未成年の娘がひそかに成人男性と深い仲に陥っている、と知ったら母親である翁長木綿子はいったいどう感じ、そして如何なる行動に打って出るか？」

「娘と男との密会場所へ直接乗り込む、くらいのことはしそうだ。つまりこの場合、〈海里ハウス〉の大久利威雄の部屋へ。なにしろ彼は木綿子にとって他人ではない。夫の後援会の会長であり、実の息子とくる。そんな威雄が自分の娘とただならぬ仲に陥っていると木綿子がもしも察知したら、看過するわけがない。実力行使も充分あり、でしょ」

「翁長木綿子が〈海里ハウス〉へ乗り込み、そこで明穂と対峙したのだとしたら、そのとき母娘ふたりのあいだでいったい、なにが起こったか……というのが、くだんの暴露系雑誌が必要以上にスキャンダラスに報じた疑惑のシミュレーションの、おおまかな内容だ。記事での主要登場人物はすべて仮名になっていたが、読むひとが読めばその母娘が翁長木綿子と明穂のことなのは一目瞭然(いちもくりょうぜん)」

「つまり翁長木綿子を殺したのは、ほんとうは娘の明穂だったんじゃないか。そして大久利威雄は彼女の代わりに、無実の罪を自ら被ったんじゃないか、と」

「大前提として殺害現場が〈海里ハウス〉だったことはたしかだろう。が、木綿子を死なせてしまったのは威雄ではなく明穂だった。具体的にどういう経緯で母娘が諍いになったかは判らないが、ここで凶器の問題が重要になる。木綿子を殴ったマグカップは、たまたま威雄の部屋に在ったものだ。これについては明穂の指紋を拭き取り、代わりに威雄が適当に触れておけばそれでいい。しかしいっぽう彼女の首を絞めた凶器を、そのまま遺体といっしょに遺留品として発見されるのは極めてまずかった。なぜなら、それが決定打になって容疑者が特定されてしまうから」

「え。そこまで明確に特徴があるもの？　って、いったいそれは？」

「念のため断っておくが、この説はあくまでもくだんの暴露系雑誌が披露した憶測に過ぎない。が、翁長明穂が当時通っていた学校の女子生徒の制服がセーラー服だったというのは、たしかに興味深い着眼点ではある」

「ひょっとしてリボン、ですか？　翁長木綿子を絞殺するのに使われたのは明穂の制服のリボンだったのではないか、と？」

「これまたどこまで信憑性がある風聞なのかは不明だが、セーラー服姿で大久利威雄の住む〈海里ハウス〉に出入りする翁長明穂の姿が付近の住民にときおり目撃されていた、という。翁長木綿子が部屋へ乗り込んできた際も、明穂は制服の上着を脱いでいる状況だったのではないか、というわけ」

「仮に母娘のあいだで激しい諍いになった拍子に、たまたま明穂が手に取ったのが制服のリボンだったのだとしたら、たしかに即座に容疑者特定につながる。少なくとも明穂の事件への関与が疑われる事態は避けられない。絞殺に使われた凶器のほうは、なんとしても捜査陣の眼から隠すしかなかった、と」

「その代わりに、啓心のベルトだったと言ったかと思えば、いや、被害者本人が以前部屋に脱ぎ忘れていたパンストだったと訂正してみたり。迷走せざるを得なかった」

「そもそも母親の死亡推定時刻には自宅で継父といっしょに居た、という翁長明穂の証言は啓心のためというよりも、明穂自身のアリバイを担保するものだったんですね。威雄が〈海里ハウス〉の自室から啓心のケータイへ電話した、というのは多分事実でしょう。しかしそのとき啓心は独りで、そこに明穂はいっしょに居なかった、ってことか」

「息子からのSOSを受けて啓心は、すぐに車で〈海里ハウス〉へ駈けつける。母親を死なせてしまって動揺している翁長明穂を避難させるべく、とりあえず彼女を友人宅へと送り届ける。そして〈海里ハウス〉へ取って返し、妻の遺体と凶器のマグカップを車に積み込み、自宅の翁長邸を犯行現場に偽装した上で、警察に通報する」

「でも一連の偽装工作にはやっぱり無理というか、おのずから限界がある、と啓心たちは最初から見切っていたんじゃないかな」

「かもしれないし、あまり深く考える余裕がなかったかもしれない。が、いずれにしろ。翁長啓心が先ず自首したことで、それは実の息子を庇うためだったという筋書きが威雄犯人説に信憑性を付与し、連鎖的に明穂の存在をうまく隠匿する機能を果たした。どこまで意図的だったかはともかく、結果的には功を奏したかたちになったわけだ」

「大久利威雄が翁長明穂の代わりに罪を被ったんじゃないか、という説の根拠になったとされる逸話が、もうひとつありまして」と箬尾くん、コーヒーの残りを飲み干し、一拍置いた。「威雄が服役中に明穂は、ひとりで刑務所へ面会に訪れている そうです。しかも一度や二度ではなく、かなりの長期間にわたって、頻繁に。これこそがなによりも雄弁に、ふたりの深い絆と互いへの愛情を物語っているではないか、と。一般的にもそう解釈されるのは至極ごもっとも、なのですが」

箬尾くんの表情に特に変化は無かったが、なんとなくわたしは不穏な予感にかられた。そろそろとっておきのカードが切られる頃合いのようだ、と。

「そして純愛ストーリーのその後は？　威雄の出所後、ふたりは晴れて結ばれた、なんて劇的な展開だったりするんですか」

　そう訊くほたるも、なにか予兆を感じ取っているのか、心なしか声音（こわね）が硬め。そんな彼女に筈尾くんは首を横に振ってみせた。

「大久利威雄が服役中に、翁長明穂は別の男性と結婚しているんだ」

　頷こうとして途中で思い留まったかのように、ほたるの眼差しが微妙に泳ぐ。

「法律関係の仕事をしているひとで。当初は明穂が、出所後の威雄の身の振り方を相談するために、知人を通じて紹介してもらった男性らしい。それがいつしか親密になり、結婚に至った、と」

「そのことを威雄は？」

「知っている。何度目かの面会の際に、明穂が自ら報告したそうだ。それを聞いた威雄はすごく喜んで。いやもちろん、その複雑極まるであろう胸中を推し量る術は部外者にはないけれど。少なくとも表面的には最大級の祝福をした。そして威雄は明穂に宣言したそうだ。もうこれ以上、ぼくにかかずらうことは止（や）めて、新しい人生を切り拓いていって欲しい、と。ふたりの合意の下、それが最後の面会になった。そう聞いている」

「ちょっと待ってください」そこで初めてほたるは怪訝（けげん）そうに顔をしかめた。「仮に明穂へのその言葉が全て威雄の心からの祝意だった……のだとしたら。十八年前の翁長木綿子殺害事件の犯人はほんとうに大久利威雄で、彼は冤罪でもなんでもなかった、という結論になりかねないのでは？　だって、もしも木綿子を死なせたのが明穂で、威雄はただ彼女の身代わりになって服役しただけ、だったのだとしたら。果たして双方がそんなふうに穏便に、丸く納まれるものでしょうか？」

筈尾くんは顎を引く仕種をするものの、肯定なのか否定なのか、判別がつかない。

「威雄のほうはまだ理解できる。オレは最後まで身を挺して愛する彼女を守り切ったんだと、ヒロイックな自己陶酔に浸れるかもしれないから。けれど明穂にとっては負い目以上にリスクが大き過ぎる。例えば服役中か出所後になにかのきっかけで威雄が自棄っぱちになり、人生を棄てにかかったりしたら、いつなんどき、木綿子を殺した真犯人は娘の明穂だったんだ、その証拠もあるとか爆弾投下してしまうかもしれない。でしょ？　なのに、そんなキレイごとで別れられるものなのか、少なくともあたしは疑問です。もしも明穂が真犯人で、威雄は無実だという説を採用するのなら、それは絶対あり得ない」

筈尾くんとわたしを交互に見たほたる、慌ててかぶりを振った。「いや。絶対などという安易な表現は撤回させていただきますが。正直、十八年前の事件は結局、威雄の犯行だったような気がしてきた。肝心の彼の現状はどの程度、把握できているんですか？」

「数年前に出所して、当初は実家で母親の数江と暮らしていたらしい。が、さきほどもちらっと触れた、息子が独り暮らしを始めるに当たって自作の食器を持たせた、というエピソードが象徴的だけど。数江はなかなか過干渉タイプの母親だったようで母子のあいだで諍い、衝突が絶えなかった。さすがに威雄も辟易し、自立しようと実家を出て、〈ことだま荘〉へ引っ越したのが今年の九月頃」

「その賃貸契約の際に、威雄は実父の浮須啓心を頼り、保証人になってもらったんだ」

「母親とはしばらく距離を置こうとしたその矢先、自転車で走行中の数江が転倒事故を起こす。胸部圧迫が原因で大動脈乖離を発症。しかし緊急手術をしようにも執刀が極めて難しい位置に患部があったとかで。降圧剤でなんとか凌ぎ、血管の破裂を先延ばしするしか為す術がない。このまま入院していても事態が好転しないなら、せめて自宅で死を迎えたいと数江は病院へ駆けつけてきた息子に訴えた。威雄も、判った、なんとかすると約束。その言葉にホッとして力尽きたのか、数江はその日の夜、亡くなったそうだ」

筈尾くん、平櫛英恵の身分証明証のコピーのページを再度、指さした。「新型コロナ禍の折でもあり、葬儀は密葬で執り行った威雄は遺産相続手続にとりかかる。法廷相続人がひとり息子の彼しかいなかったので簡単に済ませられると思いきや。まったく未知の古い土地の権利書が複数出てきたりして、登記簿名義変更などかなり煩雑な作業になりそうだと見切った威雄は実父の浮須啓心を訪ね、相談。そこにたまたま同席していたのが啓心の内縁の妻、古志スミレで、それならば知り合いに女性の司法書士の方がいるから紹介しましょうか？　と提案してきた。それが平櫛英恵のことだったというわけです」

英恵さんなら懇意にしている税理士事務所の知り合いがいて、よくいっしょに仕事をしているし、手続を丸投げしちゃえば、なんの憂いも無くなるわよ。そう請け合う古志スミレに威雄も乗り気になり、彼女に〈谷地森司法書士事務所〉へ連れていってもらうことになったという。彼が平櫛英恵と対面したのが二十六日。すなわち昨日のことで、その際、浮須啓心は同行していない。

「取り調べで被害者の身元を訊かれた啓心が答えられなかったのは、そもそも平櫛英恵とは面識が無く、彼女の名前もちゃんと憶えていなかったから、ということでしょうか」

「もしも啓心が生前の平櫛英恵には会ったこともなかったのが事実なら、その彼がどうして、息子の威雄が住んでいるアパートの部屋なんかで彼女を手にかけるに至ったのか。その点について啓心はどんな弁明を？」

「司法書士を紹介されてどういう首尾だったかを威雄に直接訊いてみよう、と思い〈ことだま荘〉までわざわざ足を運んだんだそうです。電話一本で済ませられそうな用件にもかかわらず。そしてアパートの部屋の前で平櫛英恵と鉢合わせする。威雄は不在のようだったので、預かっている合鍵でドアを開け、英恵を部屋へ招き入れた。そこで些細なことで諍いになってしまって、衝動的にキッチンに有った文化包丁を手に取り、平櫛英恵を刺してしまった。そうせざるを得なかった。なぜならば彼女は、そのときスカーフもなにも着けていなかったからだ……と」

　末尾の部分を危うく聞き流しかけたわたしは、はッとした。筈尾くんと眼が合う。視界の隅っこで、ほたるも緊張する気配。スカーフ、すなわち首を絞めるための道具が無かったから刺殺した……それは如何なる意味なのか、が浮須啓心の謎かけか。どうやら筈尾くんはとっくに、その真意を解き明かしているっぽい。わざわざ我が家へやってきたのは、単に答え合わせのためのようだ。

「啓心の言い分はざっとこんな具合。ただしそもそも平櫛英恵がどういう用件でわざわざ〈ことだま荘〉まで威雄を訪ねてきたのか不明なのはもとより、啓心は部屋の合鍵なぞ所持していなかった。彼の供述のなかで唯一事実に即しているのは、凶器の包丁がキッチンに有ったものだ、という点くらい」

「そのとき不在だったとされる威雄は？」

「現在、まったく連絡がつかず、行方の知れない状況です」

「啓心のケータイとのやりとりは？　履歴はどうなっている」

「今日の未明、つまり二十六日から二十七日に日付が変わった直後の午前零時十分頃に、威雄からの着信が残っています。通話の内容は不明ですが、おそらくはその電話で啓心は息子から、ことの次第をありのままに告げられたのではないか、と」

「ありのままにか。自室で平櫛英恵を刺し殺してしまった、と。父親にそう告白したんだろうな、威雄はきっと」

「そしておそらく、自分はこれから行方を晦ますつもりだ、という意味のことを言い残していったのではないでしょうか」

逃亡か、それとも覚悟の自殺か。誰も具体的な単語を口にしない。「息子から電話を受けた啓心は、すぐに〈ことだま荘〉へ駈けつけた。そして鍵が掛かっていない室内で平櫛英恵の遺体を発見する。警察に通報し、これは自分がやったんだ、と申告した」

「古都乃さんはどう思われます？　果たして啓心は本気で威雄を庇い切れる、と思って自首したのか。それとも」

「平櫛英恵を殺害したのが大久利威雄であることは火を見るよりも明らかだ。自分がやったという浮須啓心の主張が嘘であることもまた一目瞭然だし、彼本人だってそんな妄言を押し通せるなんて本気で考えているはずがない。にもかかわらず敢(あ)えて自首した。それはなにか明確な思惑があってのことだ」

「それは啓心が、纐纈という女性刑事と話したいと言ったことからそう類推(るいすい)されるんですよね。お母さんと話したいことというのは、やはり十八年前の事件の再検証？」ほたるは虚空(こくう)に視線を据える。「妻を殺したのは息子の威雄ではなく、彼は翁長明穂を庇って身代わりになっただけだ、と。なんとか証明したいと躍起(やっき)になっているのか。しかし、仮に翁長明穂が真犯人だったとしても、それをいまさら、どう立証しようがあると」

「いや、ほたる。立証できるかどうか、の問題じゃないないんだ、これは多分」

「え。というと」

ほたるから筈尾くんへと視線を移す。「啓心の発言には明らかに警察に、十八年前の事件の再考を促(うなが)す意図がある。が、その目的は過去ではなくむしろ現在のほうで、啓心が我々に考えて欲しいと願っているのは、今回の平櫛英恵殺害事件についてだろう」

「まさか、彼女を殺したのは大久利威雄ではなく、別の人物だとでも？」

「ちがう。残念ながら威雄が平櫛英恵を手にかけた事実は状況的に見て、疑い得ない。だが問題は彼の動機だ。威雄は英恵にその日、初めて紹介されたはず。なのに、そんな相手をどうして殺したりしたのか。その理由をきちんと考え、解き明かして欲しい。きっとそれが浮須啓心の望みなんだ」

「初対面のはずの女性をなぜ殺害したりしたのか、その理由……排除前提の可能性として一応言及しておきますが、例えば突然正気を失ったから、とかではないですよね」

「急に錯乱したのだとしても、なにか具体的なきっかけがあったはずだ。そもそも威雄がどういう口実で英恵を自分のアパートへ誘い込んだのかは本人に訊いてみないと判らないが、少なくとも拉致監禁とか強行手段の類いではなかっただろう」

　筈尾くん、頷いた。「英恵の遺体に着衣の乱れなどは見受けられない。ふたりは一夜をともにするという合意の下、部屋で過ごしていたものと考えられる。少なくとも英恵のほうは仕事抜きで、男性としての威雄に興味を抱き、自らの意思で夜間に〈ことだま荘〉の彼の部屋を訪問したのでしょう」

「そこで問題となるのは、果たして威雄は最初から英恵を殺すつもりで彼女を部屋へ誘い込んだのか。それとも室内でふたりきりで和やかに過ごしているうちにふと、なにかスイッチが入って、英恵を手にかけてしまったのか、だ。筈尾くんはどちらだと思う？」

「後者だとぼくは思います。例えば仮にこれが純然たる動機なき無差別殺人の類いであったとしたら、わざわざ自分の住居で犯行に及ぶメリットは無い。どこか余所で実行するはずです。もちろんたまたま衝動的な犯行に駆り立てられるきっかけが在室のタイミングと重なってしまった、という可能性もあるでしょう。けれどそれを割り引いても、おそらくは英恵が発した言動のなかに運悪く、威雄の理性の箍を外す、致命的なスイッチが紛れ込んでいた。そう考えるのが妥当かと」

「そうだな。わたしもそう思う」

淡々と答える筈尾くんに対してさらにそっけなく返す母親の口調に、かつての同僚を試すかのような含みでも感じ取ったのか、ほたるは少し苛立たしげに。「具体的には？　英恵のどういう科白ないしは行動が、威雄をして衝動的な殺人に駆り立ててしまったと言うんです？」

「それはある意味、相手が平櫛英恵という特定の人物だったからこそ、の側面も」

「え？　だって彼女……じゃあ、もしもそのとき、いっしょに居たのが別の女性だったとしたら、威雄はなにもしなかったかもしれない、とでも？　そんなばかなことが」

「あり得たんだ、それが。筈尾くん。旧姓翁長明穂の結婚相手の名前は？」

眼を瞬くほたるに我知らず呼応するかのように、わたしは嘆息を洩らした。

「……法律関係の仕事をしている、という話だったな。その男性、自分の名前で看板を出して事務所を運営しているんじゃない？」

「お母さんが言っているのは、もしかして、〈谷地森司法書士事務所〉のこと？　翁長明穂が現在、谷地森明穂になっていることを、大久利威雄は平櫛英恵から聞いて初めて知った、とでもお考えに。あ。いや」眉根を寄せて考え込む。「でも。でもでも。明穂が結婚していることは服役中の面会で、威雄もとっくに知らされていたはずで」

「刺殺するしかなかったと啓心がそう口走ったという、纐纈古都乃に対する謎かけは」筈尾くんがゆっくり頷くのを確認してから、わたしは続けた。「なぜスカーフという特定の単語を彼は持ち出したのか。それは十八年前に翁長木綿子が絞殺されたときに使用された凶器がほんとうは彼女のパンストでもなければ、明穂のセーラー服のリボンでもなかったから。スカーフだったんだ、真犯人がそのとき身に着けていた」

「え。し、真犯人……って？」

「そのことを啓心も大久利威雄も知らなかったんだ。ふたりともこの十八年間、ずっと。かんちがいしていた。翁長木綿子を殺した犯人は息子の威雄だ、と啓心は思い込み。そしてその威雄は威雄で、犯人は明穂だとばかり思い込んでいたものだから」

　じっと筈尾くんを見るほたるの表情を、つい窺(うかが)うわたし。「紹介してもらったばかりの司法書士の女性をいま自室で刺殺した。そう告白する威雄からの電話で、浮須啓心は初めてそのことを知ったんだ。息子は妻を殺した犯人ではなかったのだ、と。その上、威雄は威雄で、木綿子を手にかけたのは娘の明穂だとばかり思い込んでいた、という。とんでもない誤解の連鎖と錯綜(さくそう)を」

「では、真犯人は……」ほたるは、のろのろとわたしのほうへ視線を移してくる。

「十八年前に翁長木綿子を殺害した真犯人とは、いったい誰だったんです？」

「ここからは完全な想像になるが。不幸な偶然が重なったんだろう。木綿子はほんとうに娘の明穂と大久利威雄の仲を疑っていて、逢瀬の現場を押さえるべく、その日〈海里ハウス〉へ乗り込む。そこへやってきたのが、やはり常日頃から息子が実父の義理の娘に入れ揚げているのではないかと疑い、様子を窺いにきていた大久利数江だ。どういう運命の悪戯(いたずら)か、ふたりは肝心の部屋の主が不在のタイミングで鉢合わせしてしまう」

「そこでなにか諍いが起こって。数江は自作のマグカップで木綿子を殴り、自分のスカーフで絞殺してしまった？」

「数江がマグカップに付着したであろう自分の指紋をどうしたかは判らないが、スカーフを遺体から取り外し、持ち去ることは忘れなかった。数江が立ち去った後、明穂と、そして威雄が部屋へやってくる。ふたりは示し合わせたわけではなく、〈海里ハウス〉でたまたま落ち合うかたちになった。その偶然こそが悲劇的な誤解を生んでしまう」

「母親の遺体を見た明穂は、威雄がやった、と思い込む。いっぽうの威雄は威雄で、明穂がやったと思い込んでしまったんですね」

「互いの認識がずれたまま、威雄は翁長啓心に助けを求め、明穂のアリバイを確保するべく彼女を友人宅へ送ってもらう」

「妻の遺体を運ぶのに手を貸した啓心は啓心で、これはほんとうに息子がやった、と思い込んでいたんだ。だから自首した」

「威雄の眼にその行為は、父親が義理の娘を庇おうとしていると映ったんだ。ここでも互いの認識はズレていた。いっぽう明穂は明穂で、犯人は威雄だと思い込んでいるから、継父の冤罪（えんざい）は晴らしてやらないといけないと出頭した。三人が三人とも、さしずめ三竦み（さんすくみ）の誤解状態で。最終的に威雄が自首して、啓心がそれ以上の行動を起こさなかったのは息子が罪を償う（つぐなう）立場だと思い込んでいたから。しかし実際は元妻の大久利数江の犯行だったとは、この十八年間、夢にも思わなかった」

「息子からの電話で啓心は初めて知った。では威雄はそのことを、どうやって？」

「病床（びょうしょう）の母親から告白されたんだ。十八年前に翁長木綿子を殺害したのは自分だ、と。そのとき着用していたスカーフを犯行後に持ち去ったことも含めて。そしてここがこの錯誤劇中の最大の悲劇だが……数江は数江で、息子の威雄はそのことを承知の上で母親の罪を被ってくれたのだと、ずっと信じ込んでいたにちがいない。この十八年間、ずっと」喋っていて思わず溜息が洩れた。「一連の母親の告白を聞かされた威雄は、すぐにはどう考えたものかと途方に暮れただろう。病床の母親がせん妄状態で死ぬ間際にあらぬことを口走っただけだ、と一蹴（いっしゅう）しようとしたかもしれない。しかし愛する明穂の身代わりで罪を被ったはずが、彼女は真犯人ではなかった、のだとしたら……自分はいったいなんのために十年以上も服役し、人生を棒に振ってしまったのか、と。そう悶々としていた」

「そこへ紹介され、親密になった女性司法書士を自室へ招き、あれこれ話していたら、彼女の所属する事務所代表の妻が実は……」

「明穂が他の男性と結婚したこと自体は威雄も承知していた。しかしそれを素直に祝福できていたのはある意味、彼女が母親を殺したと思い込んでいたからこそで。明穂が威雄のことを犯人だと思い込んでいた、となると話は全然ちがってくる。威雄の気持ちになってみてくれ。この十八年間、刑務所へ面会へ来てくれるとき、明穂はいったいどういう眼で自分を見ていたんだろう、と。当てつけのために自分の母親なんかと不義の関係を結び、挙げ句に彼女を手にかけてしまった哀れな男だ、とでも？　愛する彼女に、ずっとそういう眼で見られていたのか自分は、と」

「つまり……つまり他人の命を奪ったりしていないのに、愚かな殺人犯だと卑しめられるならば、いっそのこと、ほんとうに……」

「威雄は今度こそ本物のひと殺しになってやろうとした。相手は誰でもよかったかもしれないが。平櫛英恵を殺したのは、ただそのときたまたま眼の前に居たから、ではない。彼女が被害者になれば大久利威雄という犯人の名前は、事務所代表の夫を通じて、明穂の耳まで確実に届くだろうと思ったからだ」

〈つづく〉

すべての神様の十月（三）

第八回

座敷童は大人になるのか

小路幸也
Shoji Yukiya

そういうものって、突然重なっちゃったりするものなんだ。

たとえば、大切な友人の結婚式の前の日が、なんと恩師のお通夜（つや）になってしまったとかさ。ネクタイだけ換えて二日間ブラックスーツを着たりするんだよ。

それとか、新しい彼女と初めてデートしたその日に、今まで一度もそういうことがなかったのに、元カノと路上でバッタリ出会（でくわ）したりするとかさ。しかもいいんだか悪いんだか元カノと新しい彼女が中学校の同級生だったりさ。

あるんだよね。重なったりすることがさ。

いや、僕の身に起こった話じゃないけれど、全部本当にあったこと。まぁ似たようなことは僕にもあったけど。神様の悪戯なのか気まぐれなのかわからないけれど、何故かそういうものって重なっちゃったりするものなんだっていうのは、二十九年生きてきて何となくわかっていたけど。

まさか自分が結婚を決めた日に。

めぐみの誕生日に、仕事が終わってから二人で夜景が見えるホテルの最上階のレストランですっごい豪華な食事をして。そして、指環を出しながら彼女にプロポーズして、彼女はにっこりと微笑んで、うん、って頷きながら僕の手をそっと握ってきたまさしくその瞬間に、そんな電話が来るなんて。

「電話、出なきゃ」

彼女がくすっと笑いながら、言った。

「ゴメン、誰だろ」

iPhoneに知らない電話番号。立ち上がってレストランの外に向かって歩きながら出た。

「もしもし」

(こちら波多野警察署ですが、柿崎亮太さんの携帯でしょうか)

波多野警察署？　故郷の町の、警察署。

心臓が本当にドキッと大きく動いた気がした。

「はい、そうです」

（柿崎浩輔さんの息子さんですね？）

「そうです。父が、何か」

故郷で、一人で住んでいる親父。親父が何かしたのか。

（柿崎浩輔さんが大怪我をされて、病院に運ばれました。命に別状はないようですが、まだ意識を回復していません。こちらに来られますか？）

意識不明？

きっと僕は、慌てていたのかそれとも驚いて顔面蒼白だったのか。自分でも気づかないうちに電話を切ってテーブルに戻りかけていた僕を見て、彼女は、めぐみはすぐに立ち上がって駆け寄ってきて僕を支えるように掴んだ。

「どうしたの？　何があったの？」

「親父が、倒れたって」

☆

実家は、山梨県の山の中。

山の中と言っても、平地だけどね。正確に言えば、山に囲まれた小さな盆地のところにあるって言えばいいのか。

波多野町の中でも最も端っこの、本当に田舎の風景が残っているところにあるのが、実家。元々は農家をやっていて、周りの田圃(たんぼ)は全部うちのものだったって話だ。親父の代になってから農業はやっていないから田圃とかは貸してる。親父はずっと小学校の教師をしていたから。

東京からだと途中で電車を乗り換えて、乗り換えが上手くいったなら二時間ぐらいかな。接続が悪いと三時間近くかかったりする。車でも、まぁ二時間以上かかるかな。

電話をもらってから電車を調べたけれど、着くのは夜中になってしまってそんな時間に着いても病院には入れないし、警察の人も帰ってしまう。とりあえず命に別状はないってことなので、朝一番の電車で行くか、あるいは車で向かってもらうかって。

車は持っていないので、電車で向かっている。

近くの剛鹿(ごうか)って町なら駅にレンタカーがあるので、そこで車を借りて行く。今まで実家に帰るときにも、車が必要なときにはそうしていたから。

めぐみも、会社を休んで一緒についてきてくれた。まさか、紹介する前に親父が死んでしまうなんてことはないと思うけど。

「古い、お家なのよね」

「うん」

昨日の夜、波多野では強風が吹き荒れたらしい。あちこちで倒木があったりしてちょっと被害が出ていた。

それが、うちにもあった。庭先にあった大きな松の木が倒れたんだ。それが、古い日本家屋である実家の玄関の庇に直撃して、どうしてそこにいたのかはわからないけれど、親父は下敷きになったらしい。

近所の人がそれに気づいて様子を見に来て、親父を発見してくれたらしい。それがなかったら、命も危なかったんじゃないか。たぶん、近所ってことは田中さんか青山さんだろうと思う。何せ農家が多いところだから、近所って言っても歩いて三分かかったりするから。

「どれぐらい古いの?」

「二百年以上かな」

「二百年になるの?」

「そう、ひい祖父ちゃんが生まれる前からあったって話だからね」

たぶんだけれど、造られてから二百年ぐらいは経っている日本家屋。二百年前は、江戸時代だ。

「本当に古いのね。茅葺屋根とか？　あの白川郷みたいな」

「いや、屋根は普通に瓦屋根。どっちかと言うと江戸時代の金持ちの家を想像してもらえれば。あ、そんなに立派でもないんだけど、見た目はそんな感じ」

高校までそこに住んでいたんだけどね。本当に古かったんだけれど、特に支障はなかった。どこかが傷んで直したとかもないし。

「夏は涼しくていいし、冬もね、暖房さえあればそんなに寒いって感じたこともない。隙間風がひどいってこともなかったから、本当にしっかりしているんだ」

「余程、最初にきちんと造られたのね」

「そう、話だとね、山に住む天狗の子孫である大工たちが造ったんだって」

「天狗の子孫？」

昔話だけどね。

うちの方に伝わるもので、天狗の子孫たちが山に住んでいたんだけど、時代が変わってその人たちは山の木を加工して商売を始めて、つまり山の豊富な木材を使う大工になったんだって。

「そういう話があって、うちはその天狗大工たちが造ったんだって」

「すごい伝説」

そういうのがある土地柄なんだ。

「そういう家に住んでいたから、建築設計の道に進んだっていうのがあるのかな」

「あるね」

小さい頃から自分の家の古さがわかっていた。かくれんぼしながら、この家がどんなふうに建てられているのかって屋根裏とか床下とか潜り込んで調べていたこともあったし。

大学も建築学科を選んだときには、周りの皆もそうだろうなって思ったぐらいに、家とか建物が大好きだった。

「案外、天狗大工の子孫だったりして」

「あ、そんなの思ったこともある」

親父も、小学校の教師にはなったけれどいちばん得意なのは図工だったって話だし。

「お父様、無事に目覚めてくれればいいんだけれど」

「それもそうなんだけどさ」

もう一人。心配な人がいる。

「もう一人？　お父様が一人で住んでいるんじゃなかった？」

母さんは、僕がまだ小さい頃に病気で死んでしまった。小学校の三年生のときだった。白血病だったそう。どれぐらいだったかは覚えていないけれど、随分長い間、入院していたような記憶がある。

だから家族は親父一人なんだけど。

「小松(こまつ)さんっていう、お手伝いさんがいるんだよ」

「お手伝いさん？」

「いや、うちがお金持ちってわけじゃないんだ」

小松さんは、それこそ祖父ちゃんが生きていた頃から、ずっとうちにいる人。

「その頃は、たぶん農家の手伝いに来ていた人だったんだろうけど」

それからずっと、うちで働いているんだ。親父も小さい頃からずっと小松さんに面倒を見てもらっていたって言うし。

「僕が住んでいたときもそうだよ。家の中のことは、炊事に掃除に洗濯、何でも小松さんがやってくれていた。もちろん母さんも生きていた頃はやっていたけどさ。一緒にね」

小松さんは、小松イクさんって名前だ。背が意外に高くて、高校時代の僕より少し低いぐらいはあったから百七十近くだと思う。いつも、和服なんだ。そう、僕がいた頃もずっと和服。そもそも生まれた頃からずっと和服だったから、今でもこの方が楽なんだって言っていた。

何でもできる人なんだ。家事はもちろんだけれど、庭で野菜を作ってもいたし、大工仕事もこなしていた。そう、踏み台なんかを裏の山の木を切って自分で木材にして造っちゃったりしていた。買い物なんかも、スーパーカブに乗って町まで行って自分でしちゃう。

「スーパーなお手伝いさんなのね」

「本当にそう」

そのお蔭というのは変だけど、母さんが死んでしまってても家事やその他もろもろに関しては何の不自由もなかったんだ。

「え、小松さんってじゃあ今はおいくつに」

「わからない。たぶん、七十歳とか八十歳にはなっていると思うんだけれど」

小松さんのことを訊いたけれど、警察はわかりませんって言っていた。親父は救急車で運ばれたんだけど、家には他に誰もいなかったって。

「いないはずがないんだ。小松さんはうちに住んでいるんだから」

親父も心配ではあるけれど、小松さんの方が心配だ。

「誰か、近くにご親戚とかは」

「いない、はず。そんな話は聞いたことがない。もう年だからさ、ひょっとしたら徘徊みたいな感じでどこかに行ってしまったとかさ。そんなふうに」

「小松さんの様子を最後に訊いたのはいつなの？」

「今年の正月。親父に電話して新年の挨拶をしたときかな。元気だったんだよ。普通に喋っていた」

半年前のことだけど。

☆

「怪我自体は、命にかかわるようなものではありません」

お医者さんは、そう言った。肩関節のところにヒビが入ってしまっているけれど、重傷ではない。その他身体のあちこちに打撲があるけれども、どれも軽症。

「問題は、頭を打ったことでしょうね」

倒れてきた木か、あるいは崩れた庇か、いずれにしても木材のようなもので頭を打ったらしい。ただしそれ自体は、頭蓋骨骨折とか脳出血とか脳挫傷とか、とにかくそういうものは見られない。大きめのタンコブができたぐらい。

「意識を失ったのも、それによるものでしょうけれど、とにかく昏睡状態です」

脳波にも異常はない。容態は安定しているけれども、いつ目を覚ますのかは、わからない。とにかく、安静状態での入院が必要。

親父は、病室のベッドでただ眠っていた。眼を覚ませば、もうすぐにでも退院できるぐらいの怪我らしい。だから、もうとにかく待つしかない。

今年の正月は帰れなかったから、二年ぶりに見る親父の顔。寝顔なんて見るのは一体何年ぶりかわからない。年を取ったのは確かだけど。

「お父様は、おいくつに？」

めぐみが訊いた。

「今年、五十九歳。僕とちょうど三十歳違うから」

親の年がわからないなんてことがなくていいって前から思っていた。もうすぐ、小学校の先生も定年だ。

「家に行こう」

僕の携帯の番号はナースステーションに伝えておいた。目覚めたら、すぐに連絡をしてくれる。

「とにかく、待つしかないけど、ここで待っていてもどうしようもない。それに」

「小松さんね」

そう。家にいたはずの小松さんはどうしちゃったのか。

「あー、ひどいな」

レンタカーで家についていて、玄関前に車を乗りつけたときにすぐにわかった。松の木の大木がものの見事に庇にぶつかっている。

松の木が庇に寄り掛かっているけれど、玄関前には大きなスペースがあるからこのまま木をロープかなんか回して引っ張って倒せば、後始末はなんとかなりそうな感じだ。まぁ実際には業者さんを頼まなきゃならないだろうけど。

「これ、よく家が壊れなかったね。こんな大きな松の木が倒れてきたのに、少し庇が壊れただけなんて」

めぐみが驚いたふうに言う。

「うん」

確かにそうだ。完全に木が倒れてきているのに、壊れたのはほんの少しだけ。庇の一部分が壊れただけになっている。この軽微な損傷で済んでいるのは奇跡に近い。

「玄関どころか、家の中まで壊れていても不思議じゃなかった感じだ」

「本当にそう」

運が良かったのか、何かバランス的に良かったのか。あるいは本当に丈夫に造られているかだ。

「玄関から中に入れる？」

「大丈夫そうだけど、念のためだな。裏口があるからそこから入ろう」

勝手口か。文字通り、台所に繋がる裏口。

その前に、電線とかその辺は大丈夫かどうか一応確認する。警察の人たちもその辺は確認してくれたみたいだったけど、明るくなってからも点検してくださいって言われている。電線は大丈夫。ガスはプロパンなんだけど、それも平気。他の窓ガラスとかも何ともなくて、本当に玄関の庇が壊れただけだ。

「入ろう」

しんとしている家の中。いないとはわかっているけれど、呼んでみる。

「小松さん？」

もちろん、返事はない。

「これ」

めぐみが指差した。

「洗い物が」

料理をした洗い物が残ってる。そのまま居間に入ったら、座卓の上にご飯の支度がそのまま残っていた。

「たぶん、昨日の晩ご飯だ」

二人分。親父と小松さんのものだ。

「そうだ、電話があったのも二人で晩ご飯を食べている時間帯だよ」

「きっとそうね」

晩ご飯を食べている最中にきっと木が倒れてきたんだ。それで様子を見に行って、親父はぶつかって倒れてしまった。

「小松さんは、どうしたんだ」

全部の部屋を回ってみる。小松さんの部屋ももちろんあって、台所の横の八畳間は小松さんの部屋。全部和室だから、鍵なんかない。

誰もいない。部屋の中が荒らされているとかも、もちろん、ない。ここに最後に入ったのは随分昔、まだ高校生の頃だったけど、そのときとまったく変わりがない。

「やっぱり、いないか」

どこへ行っちゃったんだ小松さん。

「何か、あったのよね。こんなふうに何もかも放り出してどこかへ行くはずがないでしょう？」

「ない」

考えられるとしたら、親父と同じように外に飛び出して行ってそこで何かがあったとしか思えない。

「ちょっと近所の人たちに訊いてくるよ。小松さんがどこに行ったか知らないかどうか」

めぐみが、なにか家の中を見回してる。

「どうかした？」

「ううん。何でもないけど。私は家の中を見てるね。今晩は泊まるでしょう？　冷蔵庫の中とかいろいろ見ておく。小松さんも戻ってくるかもしれないし」

「うん、助かる」

会社には一応三日ぐらいは休むかもしれないって連絡してある。仕事の引き継ぎも済ませてあるから大丈夫。

田中さんと青山さん、それとあんまり知らないけど横山さんに、橋場さんの家を回ってみた。皆、僕のことをよく知ってくれていて久しぶりだねぇって喜んでくれた。

「そうなんだよ。小松さんがいなくてね。やっぱりいないのかい？」

田中さんも捜したけれどどこにもいなくて、留守にしていて親父一人で家にいたのかなと思っていたそうだ。きっと家の中の様子は見ていなかったんだ田中さんは。他の皆さんも、小松さんの姿は見ていない。でも、青山さんが二、三日前に姿を見かけているので、いたのは間違いないみたいだけど。やっぱり、どこに行ったのかがわからない。

「そうね」

「救急車を呼んでくれたのは田中さんなんですよね?」

「いやぁ、私らはサイレンを聴いて何があったって駆けつけただけさ。きっと小松さんが呼んだんじゃないのかね」

そうなのか。小松さんが呼んだとしたら、やっぱりどうしてしまったのか。

「見つからなかった?」

「うん」

家に戻ってきた。めぐみが残っていたものを全部片づけて、そして泊まる準備をしてくれていた。

冷蔵庫の中はきちんとなっていて、一週間ぐらいは買い物に行かないでも平気なぐらいに食材がある。作り置きのものもあったので、やっぱり小松さんがそれまではきちんとやっていたことは間違いないみたいだ。

「部屋の掃除もきちんとしてあるし、どこを見ても、きちんと家事をしていた様子よ」

「親父がするはずないからね」

小松さんは、いたんだ。

でも、消えてしまっている。

「警察に言ってみようかな。行方不明ってことで」

「その方がいいかもしれないけど、亮太くん自身が小松さんを見ていないっていうのが」

「そうなんだよね」

僕が小松さんの存在を確かめていないんだ。いついなくなりました、とかそういうのが伝えられない。警察もそんなあやふやでは困るだろうし、そもそも小松さんの年齢自体何歳の老人女性かっていうのも、わからない。

まさか、こんなことで困るなんて思ってもみなかった。

「でもね」

めぐみが、少し顔を顰めた。

「どうしたの」

「うん」

部屋の中を見渡す。

「何か、ちょっと変な感じがするの」

「変?」

困ったようにまた顔を顰めた。

「え、まさかめぐみ、霊感とかあるの?」

全然聞いていないけど。

「ない。そんなのじゃないけれど、ここの家に入ったときから、何かこう、この辺が」

この辺って、手のひらを広げて自分の頭の上を、ちょうど髪の毛を留めている銀製だっていうバレッタの辺りをひらひらさせた。

「落ち着かないっていうか、何かの気配のようなものっていうか。ほら、蝶々(ちょうちょ)が飛んでいるとか」

頭の上を蝶々が飛んでいたことはあまりないと思うけど、言いたいことは何となくわかる。

「何だろうねそれは」

「イヤな感じじゃないんだけど、気になって」

そのときだ。着信があった。病院から。

「はい、柿崎です」

親父が、眼を覚ました。

☆

「いや、済まなかったな」

病室に入ったら、親父はもうベッドを起こして看護師さんと何か話している最中だった。

「本当だよ。びっくりしたよ」

「俺もびっくりしたんだがな。眼を覚ましたら病院にいるもんだから」

そう言って少し笑って、めぐみの方を見る。

「亮太、こちらの方は？」

「初めまして、浅岡めぐみと申します」

同じ会社のひとつ後輩で、付き合っていたこと。そしてプロポーズしたこと、結婚すること。その報告をきちんとして、プロポーズした瞬間に警察から電話があってこっちが死にそうな顔になったことを話した。

「本当か。それはとんでもないことだったな。申し訳ないって謝ればいいのかどうか」

「謝らなくてもいいけど」

「いやそうか。お嫁さんか。これは嬉しい知らせだ。めぐみさんも建築士なのかな？」

「そうです。亮太さんと同じ部署です」

「ひょっとして外国の方の血が？」

「はい、祖母がイギリス人で、私はクォーターなんです」

そう。見た目はほぼ日本人だけど、鼻筋が通っていたり、眼の色が少し違ったりしている。見つめ合うとわかるんだよね。

「それで父さん。身体（からだ）は大丈夫なんだよね？　明日にでも退院できるんだよね？」

「先生はそう言っていたな。念のために明日もう一度脳波とかその辺を検査して、何でもなかったらすぐにも帰っていいけど、肩を動かすのが不自由であれば二、三日入院しててもいいってことだったが」

そうか。それならまぁ一安心。

「小松さんはどうしたの？　どこかへ行ってるの？」

「小松さん？」

父さんが顔を顰める。

「小松さんがどうした。そういえば来てくれてないが」

「いないんだよ。どこにも」

「いない？」

「近所の人にも訊いたけど、姿を見ていないいって」

「そんなはずはない。いたぞ。あのときは、外で何か変な音がして、木でも揺れているのかと玄関から出たんだ。その瞬間に松の木が倒れてきたんだが、小松さんは部屋にいたぞ。居間で一緒に晩ご飯を食べようとしていたときだ」

やっぱりそうか。小松さんは一緒にいたんだ。

「どこにもいないのか？」

「いない。少なくとも家には。荷物をまとめて出ていった様子もないし、そんなことするはずもないだろ？　小松さんどうだった最近は？　まさかボケてきて徘徊とかそんなのないよね」

「ない。あるはずがない。小松さんは」

そう言ってから、親父はふっと手を口に当てて考え込んだ。

「いや」

「どうしたの」

親父が、何とも言えない微妙な表情をしている。

「まるで消え失せたように、いないのか？」

晩ご飯のものが、全部そのまま残っていたし。そう言うと、親父が顔を顰めた。

「変な話をするがな」

変な話？

「小松さんは、座敷童じゃないかって話なんだが」

座敷童？　思わずめぐみと顔を見合わせてしまった。

「親父やっぱり頭を打って」

「いや違う。聞け」

ひい祖父ちゃんの話だ。ひい祖父ちゃんの話では、小松さんはどこから来た子なのかわからなかったそうだ。ひい祖父ちゃんがまだ子供の頃にいつの間にか家にいて、仕事を手伝うようになっていたって。しかも、そのときにはもう十いくつぐらいの女の子だったたって。

「十いくつって」

「つまり、お前のひい祖父ちゃんとほぼ同年代だったたって話なんだ」

「そんな」

ひい祖父ちゃんと同年代だったら、もう百歳をはるかに越えている。

「だって、親父が子供の頃にはまだお姉さんぐらいの年だったんじゃ」

「そういう感じ」

「そうだ。だから、皆がきっと小松さんは座敷童なんじゃないかって話していた。まぁもうそんなことを知ってる皆は死んじまっているから、誰も不思議には思っていなかったんだが、俺は覚えていた」

「座敷童って、東北の主に岩手の方の話ですよね」

うちは山梨だ。

「それはそうなんだがな。うちみたいな古い家にはそういうものがいるのかね、なんて話でな。座敷童は家に付くというが、家が壊れたから消えてしまったとか、なんて一瞬思ってしまったんだが」

そんな。座敷童だなんて。

とにかく、もう一度捜してみるって親父に言って、家に帰ってきた。玄関先の庇は松の木を受け止めたまま、さっき見たときから変わっていない。玄関を通っても大丈夫だろうと思って、二人で入ろうとしたときに。

「あ」

めぐみが急に立ち止まって、頭に手をやった。

「どうしたの」

「髪留(かみど)めが」

めぐみがバレッタに触れそうになると、何か急にそれが動いたような気がした。そして、髪の毛がバサッと落ちてきて、バレッタはめぐみの手の中に収まる。

「今、動かなかった？」

「動いたの。振動するみたいになって」

手のひらの上に載せたバレッタ、髪留め。銀色で細かい細工が入っている、めぐみのお祖母さんの遺品。

「イギリス製のアンティークなんだよね」

「そうなの」

とてもきれいなんだ。精密な銀細工はとても百年以上前のものとは思えないぐらいに今もその形を保っているし、どこにも傷もない。

アンティーク。

古いもの。

昔と変わらず美しさを保っているもの。

「ちょっと貸して」

髪留めを手にする。それを掲げて、庇の壊れている部分に向けてみた。

「震える」

「え、どうして？」

めぐみに渡して、同じようにしてみる。

「本当だ。震えてる。振動、共振？」

共振。

小松さんは、座敷童じゃないかもしれない。

「ひょっとしたら」

「めぐみ、手伝って」

二人とも建築士だ。現場の仕事もちゃんと経験してきている。これぐらいの庇の破損個所の修復ぐらいはできる。きちんと元通りにするのには材料が足りないけれど。

まずは、寄り掛かってしまっている松の木を、ロープで引っ張って倒す。木の処理は後からするからいい。

脚立(きゃたつ)に乗り、破損している瓦をそっと下ろす。折れた木材をそっと木槌(きづち)で下から打って直していく。

「住んでいた頃から不思議に思っていたんだ。どうしてこの家は隙間風が入らないんだろうって」

「隙間風」

「それは、自然に修復されているからじゃないかって」

現に、堅い物を落として付いた廊下の傷が、いつの間にか消えていたのに気づいたことがある。誰かが直したのかと思ったけれど、直す人なんかいない。

「どういうこと?」

「家自体が、自己修復機能を持っているんじゃないかってね。ちょっと考えたことがあるんだ」

「自己修復機能?」

「九十九神、って聞いたことあるだろ?」

あるわ、ってめぐみが頷く。

「大切に使われて百年以上経った器物に魂が宿るもの。それが九十九神。百鬼夜行なんかで茶碗や鍋に手足がついて歩いているけれど、もしも器物に魂が宿るなら、建物にだって宿っても不思議じゃないだろう? そして、家なんだから常に自分をきれいにするために人として現れても不思議じゃない」

きっと、それが小松さんなんだ。

その小松さんでも自分では直せないこの庇の破損個所を、丁寧に修復すればきっと戻ってくるはず。

小松さんは、いつもの和服に割烹着姿で、居間に現れた。

「よく、気づいてくれましたね坊ちゃん」

「いや、めぐみのお蔭。違うか、めぐみのバレッタ、髪留めのお蔭。これ外国の製品だけど、日本に長くいて、九十九神になっちゃったんでしょ？」

めぐみの髪留めを小松さんに見せると、笑みを浮かべて頷いた。

「そうですねぇ。きれいなものです。確かに九十九神ですよ。〈髪留めの九十九神〉で名前はないんですけれど、〈ロッティ〉って呼んでほしいとか」

めぐみが、眼を丸くした。

「それ、お祖母ちゃんの名前です。小さい頃の愛称です」

「髪留めですから私みたいに人と同じようにはできませんけれど。めぐみさん」

「はい」

「髪留めは普通は寝るときには付けませんよね。壊れてしまったりしますから。でも、もしも壊れないような位置に、たとえば髪の毛の先にちょっと付けたまま眠ってみると、夢の中に現れてお喋りできるかもしれません。あなたのお祖母様の思い出話を一緒にね」


〈つづく〉

話題の**著者に聞く**
INTERVIEW ⑱⑤

新川帆立

Shinkawa Hotate

「結婚」について「離婚」から考えてみる

取材・文＝友清 哲／写真＝Mika Oizumi

『元彼の遺言状』に始まる弁護士・剣持麗子（けんもちれいこ）シリーズや「競争の番人」シリーズなど、二〇二〇年にデビューするやいなや、目覚ましい活躍を続ける新川帆立氏。注目の最新作『縁切り上等！――離婚弁護士　松岡紬（まつおかつむぎ）の事件ファイル』は、離婚相談を専門とする女性弁護士を主人公に据えた連作集で、読み手の共感を呼ぶ五つの物語が披露されている。自身も弁護士としての勤務経験を持つ著者に、創作の舞台裏を聞いた。

「離婚」をテーマにしたのは、「結婚」に関する疑問を知るため

――まず、離婚専門弁護士を題材に

**『縁切り上等！
離婚弁護士
松岡紬の事件ファイル』**
新潮社
定価：1,760円（10％税込）

しんかわ　ほたて
1991年生まれ。アメリカ合衆国テキサス州ダラス出身、宮崎県宮崎市育ち。東京大学法学部卒業後、弁護士として勤務。第十九回『このミステリーがすごい！』大賞を受賞し、2021年に『元彼の遺言状』でデビュー。

するに至った、最初の着想から教えてください。

新川　同性婚や選択的夫婦別姓など結婚を取り巻く話題がニュースで取り扱われているのを見て、「そもそも結婚とは何だろう」という純粋な疑問が湧いたのが始まりでした。世の中の多様化が進むのに連れて、結婚が従来の形に収まらなくなってきているのも興味深いことで、そうした疑問を検討するには「離婚」を切り口にしてみるのがいいかもしれないと考えたんです。

――新川さんは弁護士としてのキャリアもお持ちですが、実際に離婚裁判を手掛けたご経験が？

新川　いえ、私は基本的に企業法務が中心だったので、離婚裁判は経験していません。ただ、離婚は案件としては身近というか、比較的ポピュラーなものなので、周囲にそうした事案を扱う弁護士もいましたから、イメージはしやすかったですね。また、弁護士の世界には依頼人からよく聞かれるQ&A集のようなものがあって、それを見ると当事者の方がどのようなことに困っているのか想像しやすくなります。

——そのあたりは、元弁護士ならではの強みですね。

新川　本当は、作家になるまでの食い扶持を稼ぐために弁護士になったので、物語の種にするつもりはまったくなかったんですけどね。こうして作家としての活動に役立っているのは、たまたまだと思っています。

——離婚は良くも悪くも人生の節目ですから、その分、物語にしやすい一面がありそうです。

新川　それが、いざ書いてみたら意外と大変でした。離婚というのは突き詰めるとどれも似たようなエピソードばかりになってしまうんです。最初は登場人物の年齢や属性、シチュエーションなどを変えれば、いろんなバリエーションが創れるだろうと高をくくっていたのですが、そこで起きる問題や悩みには共通点が多くて、思いのほか難儀しましたね。

——それでも本作では一般的な男女の離婚だけでなく、同性パートナーの事案が登場するなど、様々な角度から楽しませていただきました。

新川　たしかに、同性パートナーの離婚はまだ誰も書いてないテーマかもしれませんね。結局、法律が最も力を発揮するのは、法律婚であろうと事実婚であろうと、破局の時なんです。関係がうまくいっている時は法律のお世話になる機会なんてまずないでしょうから。

――五つの離婚エピソードを彩る、個性豊かな登場人物たちも印象的です。主人公の弁護士、紬先生のキャラクターはどのように生まれたものですか。

新川　結果的には若い女性弁護士という設定に落ち着きましたが、実は連載後の改稿で、紬を七〇代のおばあちゃんに書き換えようとしていたんです。結婚しない人生を肯定的に描くには、そのくらい経験豊富な人物のほうがいいのかな、と。ただ、編集者から大反対されて思い直しました(笑)。たしかに、せっかく現代的な題材を扱うのに、おばあちゃんの知恵袋のような解決ばかりだと、当初イメージしていた物語とだいぶ雰囲気が変わってしまいますからね。

法律事務所は現代の駆け込み寺

――本作では単に離婚事案を扱うだけでなく、すべてのエピソードが松ケ岡川柳(※縁切り寺として名高い鎌倉・東慶寺を詠んだ川柳)になぞらえられている点も特徴的です。

新川　以前、依頼人の先祖を調査する『先祖探偵』という作品を書いた際、人の縁の繋(つな)がりが持つ面白さを実感しました。それを今度は、逆に離婚という縁を切る側にシフトしたのが今回の作品で、私の中では〝裏・先祖探偵〟のような位置づけなんです。そこで思いついたのが縁切り寺の存在で、詳しく調べていく過程で東慶寺の存在を知りました。

江戸時代は女性から離婚を切り出すことが許されていませんでしたが、縁切り寺に駆け込んで足かけ三年を過ごせば離縁できるという制度がありました。令和のいまも、まだまだ経済的にも女性が弱くて自由に離婚を選べないのは同じで、そこで駆け込む先として縁切り寺の代わりになっているのが法律事務所です。そうした対比を松ヶ岡川柳で繋いだ感じですね。

――そう考えると、いまも昔も離婚、離縁の構造は変わっていない印象ですね。

新川　そうかもしれません。ただ、駆け込み寺はそもそも尼寺(あまでら)で、女性が

『先祖探偵』
角川春樹事務所
定価：1,760円

女性を救うような場でした。今回も弁護士が女性なので、どうしてもシスターフッド的になりがちな構造を持つ物語ですから、油断すると男性ばかりが悪者になってしまいます。その点にはかなり気を遣って書いたつもりです。現実には、女性のほうに帰責事由（過失、落ち度）があるケースだってたくさんありますからね。

――その意味においても、離婚というのは世相を反映しやすく、読者の共感を呼びやすい題材なのかもしれませんね。

新川　三組に一組が離婚すると言われていますから、身近なテーマであるとは思います。一方で、離婚とは無縁の方にも、登場人物の修羅場を覗く感じで興味を持ってもらえるのではないかという思惑はありましたが（笑）。

――気が早いですが、こうなると続編にも期待してしまいます。

新川　予想外に難産した作品だったので、いまの時点ではまだ何とも言い難いのが本音です（笑）。ただ、法律的な小ネタはまだまだあるんです。たとえば、正式に婚姻関係を結んでいなくても、住民票に「妻（内縁）」と表記することは可能で、別れる際にはそれを消すことになるので、バツイチならぬ〝バツ0・5〟みたいな状況が生まれます。こういうディティールは面白いと思うんですけど、それだけで短編一本に仕上げられるかというとそうではなくて。今回とりわけ苦労したのもそうした側面でした。

——それにしても、デビューから今作までわずか三年足らず。ハイペースにヒット作を送り出し続け、極めて順調に見えますが、ここまでのキャリアを振り返られていかがですか？

新川　自分としては決して順調ではなく、むしろ焦りのほうが強いです。もともとデビューから三年くらいが作家寿命に直結する重要な時期だと考えていたので、早くも三年目に突入してしまったことに対する焦りですね。もちろん、ここまで自分なりにベストを尽くしてきたつもりですが、一方で自分が自分に求めるクオリティも日に日に上がっていて、納得のいく作品を仕上げようと思うと一作にかける時間も長くなります。いまのペースでは遅いくらいなんですよ。

——それでも、弁護士としての知識と経験は、やはり大きな武器なのでは？

新川　それは間違いなく強みだと思っていますが、私は必ずしもリーガル小説を書きたいわけではなく、あくまで選択肢のひとつに過ぎないんです。ましてリーガル小説の大家になりたいなんて想いは微塵もなく、いろんな分野の物語を書いていく中で自然に役立つもの、というくらいに考えています。

——では最後に、これから目指す作家像について聞かせてください。

新川　先日、私がデビュー前からお世話になっていた小説講座の先生にお会いしたら、「あなたは今まで物語を書いてきた。これからは小説を書くんだ」とアドバイスをいただき、なるほどその通りだと思いました。これまで私が書いてきたものは、登場人物や出来事、あらすじの面白さで読ませるものだったので、今後はそこに文章表現の妙が一体化することで、さらに深みのある作品を生み出さなくてはならないと最近特に痛感しています。まだまだ道半ばですが、とにかく文章力をもっと鍛（きた）えて、より完成度の高い作品を目指したいですね。

『元彼の遺言状』
宝島社文庫
定価：750円

『競争の番人』
講談社
定価：1,760円

＊定価は税10％です。

きたきた捕物帖 第四十四回

気の毒ばたらき

その十

宮部みゆき
Miyabe Miyuki

イラスト：三木謙次

十

「次の的が決まったら、また繋ぎをとりましょう。それまでお達者で」

指南役の言葉を潮に、「トミ」「イノ」と呼ばれた男たちは、それぞれの分け前の麻袋を担いで梯子段を降りていった。指南役は居残って、帰る様子はない。

三人がばらける。しかし、いちばん要になりそうなのは、何といってもこの指南役だ。北一は慌てて動かず、じっと天井裏に寝そべっていた。

一人になった指南役は、大あくびをして寝そべると、腕枕でうたた寝を始めた。小さくいびきまでかいている。まだ誰か来るのかもしれない。北一もじっと我慢だ。

だが、トミとイノが去ってから半刻（約一時間）ほど経つと、指南役はむっくり起き上がり、身支度をした。着物は袖と裾まわりに大きな市松模様が入っており、その上に着込んだ羽織は、同じ市松模様で同じ色合いでありながら、模様の場所と大きさが違えてあった。生地はたぶん銘仙だろう。安価な絹物だから、格別に贅沢とは言えない。だが、色柄の合わせ方に凝っているのは洒落ている。

――おっと、襟巻きまでお揃いだ。

指南役の男は、長い襟巻きを器用に首に巻き付けると、胸の前に小粋な結び目をこしらえて、仕上げにぱんぱんと裾を払った。

半纏に股引のトミ、小商人ふうのイノは、今夜の出で立ちの方が本来の彼らのものので、正業なのだろう。仮住まいの木置場に出入りしているときは、別の生業、別の立場の者であるように――トミは武家屋敷の中間、イノはたっぷりの髪油をぷんぷん匂わせた洒落者を装っていたと思われる。

未だに名前もわからぬ指南役のこの男と、さし銭を山ほど詰め込んだ道具箱を担いできて、こいつに引き渡していったあの商人は、何が表の顔なのか。

指南役の男は、商人が担いできたときより、よほど軽くなったであろう道具箱をひょいと担ぎ上げると、梯子段を降りていった。北一もすぐ天井裏を抜け出し、物置から廊下へと出てゆくと、梯子段の下で指南役の男と若めの婆ちゃんが話をしていた。どうやら、指南役が婆ちゃんに小銭をやったらしい。

「今夜は冷えるね。おねえさん、夜風邪を引かないでおくれよ」

「毎度どうも。またお越しくださいよ」

「今度くるときは、湯豆腐で一杯やりたいなあ。心がけといておくれよ」

「はい、はい」

何だよ、仲良しじゃねえか。

憮然としていると、若めの婆ちゃんが二階を片付けにあがってきた。北一はいったん物置に隠れ、婆ちゃんと入れ違いに急いで階下へ降りた。梯子段のいちばん下の段を踏んだと思ったら、

「こっちだ」

喜多次の声がした。梯子段の裏側にしゃがみ込んでいる。指南役の男の姿はとっくに消えているのに。

北一はつい声を荒らげた。「あいつを尾けてねえのかよ?」

「慌てなくても、しるしは付けた。気取られねえように、間をとった方がいいん

だ」

　しるし？　訝る北一の鼻先に、喜多次が真っ黒なものを突きつけてよこした。

「かぶれ」

　頭巾だった。不思議な手触りの布でできていて、頭からすっぽりと肩口まで覆い、鼻の部分だけが空いている。

「これじゃ前が見え――」

　見えなくなかった。かぶるとわかるのだが、両目の部分は透けているのだ。

「夜の闇のなかじゃ、人の顔なんか見分けられねえ。けど、ほんのかすかでも光があると、白目はよく目立つんだ」

前回までのあらすじ

北一は、岡っ引き・千吉親分の本業だった文庫の振り売りをしている。「長命湯」で釜焚きをしている喜多次は、よき相棒だ。ある日、万作・おたまの文庫屋が火事になり、焼け落ちた。北一は、火をつけたのが女中のお染だと聞き、調べ始める。北一は喜多次から、湯屋の二階で火事について話す胡乱な輩がいると聞く。千吉親分のおかみさんの許を訪ね、事件解決の糸口を得た北一が長命湯で張っていると、悪事の指南役と思われる男が現れ、トミとイノと呼ばれる男に、さし銭を渡していた。

だから、闇にまぎれて何かをしようとするときは、目を隠すことが肝心だというのだ。

「便利な頭巾だな」

北一は頭巾の上から自分の顔に触れてみた。手触りはつるつるしている。

「本物の忍びは、こういうものを使うのか」

「これくらいのもん、気の利いた夜盗だって使う」

埃っぽい暗がりのなかで目を細めていた喜多次は、「そろそろ行くぞ」と動き出した。梯子段の裏側の壁を引っ掻いている。何をしているのかと思えば、その壁板が外れて、人が這って出入りできるくらいの四角い穴が開いた。

「これ、おまえが開けた内緒の出入口か？」

「そんな勝手なことをするもんか。ごみの出し入れ口だ」

なるほど、喜多次にくっついて這って出てみると、釜焚き場の一角のゴミ溜めに出た。真っ暗でも臭い。臭いは寝静まらない。

「あいつ、どっちへ行った？　しるしを付けたってどういうことだよ」

北一のせっかちな問いかけに、喜多次は黙って夜空を指さした。その指先に目をやって、喜多次は信じ難いものを見た。

淡い紅色の煙の筋だ。ほんの一筋、夜気のなかを頼りなく漂って、尻尾の方から薄れて消えてゆく。

「雨が降らずに、風がない夜じゃないと使えねえんだけど」

今夜はちょうどよかったと、喜多次は言う。

「どんな手妻なんだ？　じゃなくて、忍術道具か」

「バカなこと言うな。ただの線香だよ」

火は小さいが煙の保ちはよくなるように、材料を工夫して練ってある特製の線香で、それを細い糸に結び、行き先を知りたい人物の衣類や履き物にくっつけておく。線香の長さと太さで、ある程度の距離を追えるように調整できるのだという。

「追っかけよう」

喜多次は落ち着き払っている。北一は、やたらに荒い自分の鼻息のせいで、頭巾の内側が騒々しくってしょうがなかった。

喜多次のしるしの線香は三丁で尽きてしまったが、それでよかった。指南役の男は「長命湯」を出ると、町家が建ち並んでいる方ではなく、俗に深川十万坪と呼ばれる広大な田地の方へと足を向けたのだ。こんな時刻にあぜ道を歩く人影はないし、火の気もない。尾行する二人も線香の火も、あまりにも見つけられやすい綱渡りだった。

あぜ道の土手に伏せて、枯れ草と乾いた土にまみれながら尾けてゆくと、五本松を過ぎた先で、男は小名木川の川端に降りていった。そこには危なっかしく傾いだ小さな桟橋があり、猪牙が舫ってあった。

男はまず道具箱を猪牙のなかに下ろすと、繋いでいた縄をほどき、市松柄の着物の裾をめくって、ひょいっと猪牙に飛び移った。慣れた手付きで櫓を操り、桟橋を離れると、さらに東の方へと漕いでいった。夜の闇と川の闇の狭間に吸い込まれて消えてゆく。

「……どうする？」

土手から起き上がり、北一は問うた。人を尾けるって、こんなにも思うようにいかねえことなのか。

「引き返そう」と、喜多次は言った。「用は足りた」

「へ？」

「櫓の握りのところに焼き印があった」

〇に六の字。商家の屋号だろうと言う。

「調べりゃわかる。商人の方はもう素性がわかったし」

え、え、え。いつ？　いつ突きとめたの？

「あいつにも、線香のしるしを付けてたのか」

「いや。あんな重たい荷物を一人で担いで来たんだから、おおかた近所だろうと思って、尾けた」

北辻橋のそばの質屋だった、と言う。確かに、大横川に沿ってここから真っ直ぐ行ったところだ。

「そっちも六実屋だったから、指南役の男の○に六の字とも関わりがあるのかもしれないし、ただの偶然なのかもしれない。ま、どっちだっていいが」

喜多次はけろりとしているが、北一は、天井裏や土手道で寝そべったり這い回ったり、そうかと思えば暗闇のなかでにわかにいろいろ判明してきたりして、頭がぐるぐるだ。

「あのトミとイノって奴らは……」

喜多次一人で、まさかあの二人の行き先までつかんで――いてもおかしくはない。

「手は打ってある。今夜のうちに確かめてみるか」

喜多次は言って、夜風の匂いをかぐように、鼻先を上げた。

「早い方がいいし、あいつらも夜中の方が走りやすいしな」

走りやすい……あいつらって？

犬だった。

マジで本当に、犬のあてがあったんだ、こいつ。釜焚き場で口笛を吹いたら、あら不思議。お犬様の登場だ。

喜多次の思いつきというのは、指南役の男と落ち合ったあと、別れてゆく他の男たちの着物や履き物に臭いをつけておくという案だったのだ。で、あとからその臭いを追っかける。人よりもずっと鼻の利く、犬を使って。

「初仕事だから、上手くいくかどうか」

そう言いつつも、二匹の犬たちの頭を撫でてやる喜多次の手付きは堂に入っていて、犬たちも喜多次に懐いているようだった。まあ、懐いてなかったら、口笛で呼ぶなんてこともできやしないよね。

一匹は薄汚れた白犬で、片耳が千切れ、片目が半分潰れている。一人では、なかなか抱えきれないほどの大きさと重さがある。

もう一匹は小柄で華奢な白と茶色のブチ犬だ。耳がピンと立ち、尻尾もきりりと巻き、目はぱっちりと澄んでいるが、鼻面に傷痕がある。何かで削がれたみたいな傷だ。

「こいつら、忍者犬？」

「野良犬だよ」

それにしちゃ飢えてないし、北一を警戒する様子もない。

「湯屋の爺ちゃん婆ちゃんたちと、あんたの匂いは覚え込ませてあるからな。ただ、指の数を減らしたくなかったら、あんたはまだこいつらに触らない方がいい」

はい、触りませんとも。

「名前はつけたのかい」

「シロとブチ」

愛想がねえなあ。

「二匹もまとめて、いつ拾ったんだ？」

犬たちは喜多次がくれた残飯らしい餌を食い、水を飲んでいる。喜多次は振り返って、北一の顔を見た。

「俺はこいつらを拾っちゃいねえ。仲間だと教えてはあるが、俺はこいつらの主人になった覚えもねえ」

「そ、そうか」

喜多次が最初に出会ったのはシロで、それは北一が江戸前の海で溺れかけ、しばらく休んでいたころのことだった。

「ちょっと前から、釜焚き場に犬が近づいてる気配はあったんだが、なかなか顔を拝めなくってな」

初めてばったり会ったのは早朝のことで、シロは右前足の爪を折り、怪我をしていた。喜多次はその手当てをしてやった。

「夜は町筋で残飯あさりをして、昼は川沿いの橋の下や、武家屋敷の裏の藪の中なんかに隠れ住んで」

このあたりには、そういう野良犬がけっこう棲みついている。一つ間違うと、町の人たちとのあいだに不幸な問題が起こるが、シロとブチにはそんな心配は要らない。

「ブチは生粋の狩人だ。足が速くて目がよくて、ネズミもイタチもヘビなんかも、見つけたら逃さずに狩る。シロは魚を捕るのがうまいんだぜ」

シロは半月ほどかけて喜多次に馴染むと、ある夜、ブチを連れてきた。喜多次が

「おまえの弟分か」と訊ねると、シロはワンと鳴き、ブチは地べたに前足を折って挨拶を寄越したそうな。

「二匹で、おまえの弟分になったわけだ」

北一の言に、喜多次はかぶりを振った。

「だから、さっきも言ったろ。俺はこいつらを飼ってるわけじゃねえ。残飯があればやるが、なければ何もやらねえ。こいつらだって、ちょいちょい来るわけじゃねえ。気が向かなきゃ、半月も音沙汰がねえんだ」

　実際、北一は喜多次が犬をかまっているなんて、今の今まで知らなかった。

「でもさっきは、あんたが口笛を吹いたらすぐに駆けつけてきたよな？」

「先から頼んでおいたからだよ」

　あ、そうですか。北一はもう、「え」も「へえ〜」も品切れだ。

　喜多次は、たぶん手ぬぐいを裂いたものをより合わせ、ねじって作ったのであろう、六尺あまりの長さがありそうな繋ぎ縄の先に輪っかを付けたものを用意していた。

「まずはブチだ。おまえは待っててくれな」

　シロに言い聞かせると、隻眼の大きな白犬は、もっそりと動いて釜焚き口のそばに行き、いつも喜多次が炎の色を見ながら座っているところに落ち着いて丸くなった。

「ブチ、行くぞ」

　喜多次はブチに繋ぎ縄をつけた。胸がどきどきしてきて、北一はつい手を出してしまった。

「おいら、持ちたい」

「しっかり握ってろよ」

　二人と一匹は長命湯の出入口まで移動した。喜多次は懐から小さい薬包を出し、それを開いてブチの鼻先で振った。何かがさらさらとこぼれ出て、すぐに消えた。

「まずはトミだ。野郎の股引にこの臭いを付けてある。よし、行こう」

喜多次が首元を叩いてやると、ブチは鼻を鳴らし、ベロを出したまま地べたを嗅ぎ回り始めた。そして、きりりと扇橋の向こう側へ目をやると、

「うわっ！」

北一がつんのめりそうな勢いで走り出した。

「さ、さすが忍者犬、速ぇな！」

「ただの野良犬だ」

ブチが北一と喜多次を連れていってくれたのは、本所御竹蔵の近く、南割下水に沿った町筋にある長屋だった。中小の武家屋敷と、町家でも一軒家の多いこのあたりでは、悪い意味で目を引く貧しい裏長屋だ。

長屋の木戸のところで、喜多次は北一からブチの繋ぎ縄を受け取り、そこから先は自分が連れていった。ブチは、北一の目にはまさに忍者のふるまいに見えたが、鼻を鳴らすことも息をぜいぜいすることもなく、ひたひたと歩いて喜多次を引っ張り、端っこの一軒――〈かざりもの　くし　かんざし　一平〉と大きな字で殴り書きされている腰高障子の前まで案内した。

そのあとで、北一と喜多次は長屋の木戸に掛けてある名札を仰いだ。

「飾職　一平」

二人と一匹は、長屋を出て夜の闇のなかに戻った。

「トミ」の正体である飾職人の一平は、長命湯から自分のねぐらの長屋に帰るまで、番人のいる厄介な木戸を上手に避けて歩いていた。おかげで北一たちも楽ちんで、難なく長命湯まで帰り着いた。

喜多次はブチを労い、繋ぎ縄を外して水をやって撫でてやって、うんと褒めた。それからシロに繋ぎ縄をつけた。

「北一さんよ、今は夜が長い時季だから、俺とシロはもう一走りしてくるが、あんたはどうする？」

正直、ちょっと疲れて眠かった北一だが、負けていられるか。

「おいらも行く」

今度は小商人ふうの「イノ」を追う。シロの鼻先で別の薬包のような包みを開き、臭いを覚えさせる。喜多次は自分でシロの繋ぎ縄を握り、先に立った。

シロはブチほど突っ走らず、北一と喜多次は並足でついていった。長命湯から大横川に沿って南へ向かい、福永橋を渡ると東に鼻面を向けて歩き続けた。シロは足を止めない。迷いもしない。町筋ではあるが木戸にはぶつからないので、やはりイノもそのあたりを用心して歩いていたのだと思われる。

シロはさらに水路を三つ渡ったところで左に折れ、田畑のなかの、風よけの林と生け垣に囲まれた大きな一軒家の前で足を止めた。

生け垣の切れているところから、その内側の様子が覗えた。藁葺き屋根をいただいた広い屋敷で、人ならば額にあたる部分――屋根の庇のすぐ下に、屋号が掲げてあった。

四角い升の中に「生」の一文字。

「ますしょう、と読むのかな」

商家か。何が商いものなんだろう。ぐるりを見回してみて、北一は、明かりもなしに景色が見えることに、ようやく気がついた。東の空が明るみ始めている。あけぼのの光に、屋号のある建物の向こう側の水車が見えた。ごとん、ごとんと音も聞こえてくる。

こういうのは初めてだ。ますます、どんな商いなのかわからない。それとも地主かな。「……生薬屋」

低い声で、喜多次が呟いた。建物を見ているのではなく、こっちに背中を向けて、あたりに広がる田んぼや畑を眺めていた。簡素だが丈の高い囲いで囲ってある畑もある。

「この畝に植わってるひょろひょろした草とか、あっちの不格好な葉がごつごつしてるやっとか」

生薬の素になる草花だそうな。

「ただ右から左に卸してる問屋じゃなくて、自分のところで材料から育てて調剤している店なんだろう」

「こんな深川の外れに？」

「そうでなきゃ、畑ができねえ。それに、船を使うなら、それほど足の便の悪い場所じゃねえ」

なるほど。口に入る野菜は、誰かが畑を耕してくれなければ採れない。薬の素になる草花も同じだ。野山に生えているのを採ってくるだけで足りるわけがない。そういうことを、北一は初めて考えた。

「やっぱり、おまえって物知りだな」

そう言って、思わずあくびを漏らしたとき、一緒に頭の奥から記憶が流れ出してきた。

「イノって野郎は、泡を食って走ってきたから汗だくだって言ってやがって」

これくらいの距離だから、あり得ることだ。

「それと、女房が血を吐いて眠ってるとか、熱が高いとか」

すると指南役の男が、「早く朝鮮人参を呑ませてやりたいね」なんて応じたのだった。

喜多次が言う。「朝鮮人参は、目の玉が飛び出るほど高い生薬だよ」

「知ってらぁ。ここに植わってる?」

「わかんねえ。そもそも根があって植えるものなのか、枝に生るものなのか知らねえ」

なんだ、喜多次も知らないことがあるのか。

「明るくなってきた。誰かに見咎められる前に、引き揚げるぞ」

促されても、北一はすぐ動かなかった。眠くてだるくて辛かったのだ。

と、シロががぶりと北一のふくらはぎを噛んだ。正しく言うと、「口を開いてふくらはぎに歯をあてた」ぐらいの強さだったが、北一は飛び上がった。

「わ、わかった。帰ろう帰ろう」

道々、眠ってしまわぬように、ずっと口のなかでぶつぶつ呟いていた。さし銭がいっぱい入った道具箱を持ってきたのは、六実屋という質屋だった。「トミ」は南割下水の長屋に住む貧乏な飾職人で、「イノ」は深川の外れで生薬を作っているお店の者——たぶん奉公人で家族ではなさそうだが、決めつけることはできない。

長命湯で喜多次とシロと別れ、眠気と疲労と空腹でふらふらだったので、富勘長屋に帰ることは諦め、猿江の作業場に向かった。

——ああ、でも作業場には食いものを置いてなかったっけ。やっぱり長屋に帰った方がよかったかなあ。

本人はわかってなかったが、目はほとんど閉じてしまい、頭（こうべ）を垂（た）れ、肩を落っことし、足を引きずって、それはそれは惨（みじ）めな恰好（かっこう）をしていた。

「北さん、北さん」

耳に馴染んだ声で呼ばれていることにさえ、気づかないほどだった。

ちょっと弁解しておくと、北一もそんなに柔（やわ）な方ではない。だが、朝からずっと文庫売りの商いに邁進（まいしん）し、夜になってから初めての「張り込み」に緊張し、それから長い距離を犬に引っ張られて行ったり来たりしたのだから、骨までくたびれて、へたりこんでしまったのである。

「北さん、しっかりしろ、北一。き、た、い、ち！　傷は浅いぞ！」

助けてくれたのは、欅（けやき）屋敷のまわりの掃き掃除を終え、竹箒（たけぼうき）を背負って作業場の方まで出張って行こうとしている青海新兵衛だった。

「まるで亡者だな。いったいどうしたら、ここまで消耗してしまうのかな」

新兵衛は北一を背負い、来た道を引き返した。欅屋敷では瀬戸殿が朝餉の支度をし、若様の栄花が庭に出て朝稽古をしているところだった。

白湯と朝飯で、北一は気を取り直した。何があったか説明を求められ、言いよどんでいると栄花に一喝されたが、面白いことに――と言っては本人には酷だが、瀬戸殿は北一を叱らなかったし、笑いもしなかった。いちばん愉快そうに笑ったのは新兵衛だ。

発端から話すと長い話になった。すっかり語り終えるまでのあいだに、瀬戸殿は二度、北一に白湯を注いでくれた。

「……という次第で、とにかく昨夜一晩で、五人の怪しい奴らのうち、三人までは素性が知れたんです」

「その〈ますしょう〉というお店らしきところは、もう一度訪ねてみれば、すぐにどんな商いなのかわかる」と、栄花が言う。「何なら、わたしがこれから散歩がてらに見てきてやってもいいぞ」

となると、残るは指南役の男、〇に「六」の屋号のお店と関わりがあるらしき、あの野郎だけだ。

「丸の中に六か」

新兵衛が懐手をして首をひねる。

「拙者、どこかで見覚えがあるような気がするが……」

新兵衛は欅屋敷の用人、何でも屋だ。顔も広い。真夜中に小名木川を猪牙で行けるぐらいの距離にあるお店のことなら、知っていても不思議はない。

と思ったら、栄花の脇にちょこんと正座していた瀬戸殿が強い声音を発して、

「だらしがない」とのたまった。

「あ、あいすみません」

自分が叱られたのだと思って、北一はすぐ口を縮めた。だが、瀬戸殿が叱ったのは北一ではなく、新兵衛だった。

「青海殿、何が『見た覚えがござる』であろう。確かに見ておりましょうが」

新兵衛は目をぱちくりさせている。瀬戸殿はたたみかけた。

「苗売りでございます。他でもない、今年の春先に、あなたが自身で評判を聞き、呼び寄せたのではありませぬか。お店は深川十万坪の先にあり、その一帯で手広く商いをしているという苗問屋でございますよ」

お店の名は〈六ト屋〉という。

〈つづく〉

松籟邸の隣人

第十四回

宮本昌孝
Miyamoto Masataka

第十二話　浮浪児と半玉（後編）

茅葺平屋建ての聴漁荘の玄関土間に立って、茂が訪いを入れると、奥から和装の女性が出てきた。

「吉田茂くん。ようやく訪ねてきて下さったのね」

女中ではない。陸奥亮子そのひとだ。

（着物姿もこんなに美しいなんて……）

愛宕神社で初めて会ったときの亮子は洋装だった。

いまは淡い小花紋様の単という地味な装いなのに、華やかに見えてしまう。髪も、水油を用いて髪を束ねて結う束髪の型の中でも、西洋風ではなく日本風の揚巻なのだが、なぜかハイカラな感じがする。亮子の生まれ立ちの稀有な佇まいゆえ、としか思われない。

笑顔で寄ってくる亮子に、最初の出会いの記憶が鮮やかに蘇り、茂はどぎまぎした。あのとき亮子は、父を早くに亡くした少年を、お可哀相に、といきなり抱きしめてくれたのだ。

こんどは抱きしめてはもらえないが、あのときと同じように、えもいわれぬ佳い匂いに茂の鼻腔はくすぐられた。

「あの、これ……」

茂は、いま購入してきたばかりの〈新杵〉の虎子饅頭を差し出した。

「お気遣い、ありがとう。陸奥は甘いものが好きなのですよ」

「それは……よかったです」

伏目がちに、茂は言った。亮子を間近でまともに見るのは無礼である気がするのだ。

「あら、茂くん。お声変わりをされましたのね」

「あ……」

途端に、茂は顔を真っ赤にする。

体が小さいせいか、声変わりは同年の子らより遅く、つい先頃のことであって、自分でもまだ少し違和感があった。ただ、松籟邸で過ごしているときや、親友の広志と遊んでいるときなどは、気にならない。

（訪ねる前に、どうして思い至らなかったんだろう）

ちょっと低くて、不安定でもあるおかしな声を、亮子に聞かれたくなかった。

「お聞き苦しいですよね」

「何を仰るの。お声変わりは、おとなになられた証ではありませんか。お祝いをして差し上げたいくらいですわ」

亮子の声も微笑みも温かい。

「それにね、わたくしは聞き苦しい声が好きなのですよ」

亮子は、ちらりと奥へ視線を遣ってから、また茂を見て、お分かりでしょ、という表情をしてみせ、くすっと笑った。

夫の宗光のよく知られたガラガラ声のことを言っているのだ、と茂はすぐに察した。と同時に、亮子の少女のような可愛らしさに陶然となりかけた。

「さあ、茂くん。お上がりになって」

「いえ、ぼくはこれで失礼します。陸奥卿のお体の障りになってはいけないので」

「お気になさらないで。いましがた口述を了えたばかりで、よく眠っていますから」

「卿は何かお書きなのですね」

口述とは口述筆記のことだろう、と茂は見当をつけたのだ。

「どうしても書き遺しておきたいことがあるそうなのです」

「お差し支えなければ、題名をお教え願えますか」

陸奥宗光の著すものなら、茂も大いに興味がある。

「けんけんろく、と」

「蹇蹇匪躬の蹇蹇でしょうか」

「まあ、よくお分かりですのね」

拍手でもするように、亮子は両掌を合わせた。

前回までのあらすじ

吉田茂は父・健三が亡くなったため、若くして吉田家の当主である。母が暮らす大磯の松籟邸に戻った年の夏、茂は、母から実の子でないことを聞かされ、ショックを受け、また隣人で友である天人のアメリカ時代の悪い噂を耳にする。通っていた耕餘塾を卒業し、東京の中学に入り直すことになった茂は、実父の竹内綱の屋敷に住み、学生生活を送っていた。日清戦争に勝利して日本全体が浮かれるなか、再び夏が到来し、茂は大磯へ戻り、外相・陸奥宗光が療養しているという聴漁荘を訪ねることにする。

自身を一切顧みず君主に忠節を尽くす、というのが蹇蹇匪躬の意である。

「松本先生が仰ってたとおりですわ。茂くんは本当に漢学に秀でていらっしゃるのね」

「秀でてなんかいません。にわかです」

亮子に褒められて頗る心地よい茂だが、急いで頭を振った。

「ご謙遜だわ」

外交秘録『蹇蹇録』は、陸奥宗光みずから体験した機密も叙述されており、日本外交史の貴重な史料となる。

「茂くんはレモン水、お好きかしら」

「はい。ごくごく飲みます」

嬉しすぎて、おかしな返辞をしてしまう茂だった。

結局、茂は亮子に誘われるまま、応接間に腰を落ち着けた。

しばし応接間で待っていると、いったん奥へ入った亮子が、みずからレモン水を満たしたコップを運んできたので、茂は驚いて立ち上がる。陸奥家のような上流では、別荘にも女中や書生を同行させて住まわせているはずで、給仕はかれらの仕事である。

「恐縮です。大臣夫人がお手ずからぼくのような者に」

「いまは大臣夫人ではありません」

賜暇療養中の陸奥宗光に代わり、西園寺公望侯爵が外務大臣を務めている。といっても、西園寺は文部大臣との兼務であり、陸奥が戻ってくるまでの臨時代理にすぎない。だから、亮子は依然、外務大臣夫人なのだ。

（きっと亮子夫人も、大磯に暮らす間だけでも、そういうことから解放されたいんだ……）

　すると、茂の最初の驚きの思いを察したものか、女中は買い物に行かせ、書生は自室で書に親しませている、と亮子が明かした。陸奥の病状が安定しているときは、かれらにも自由な時間を与えたいという亮子の配慮に違いない、と茂は思った。

「美味しいです」

　それこそ、ごくごくと一気に飲み干したレモン水は、よく冷えていて、甘露だった。亮子が作ってくれたからなおさらだ。

「お代わりをお持ちしますね」

「ありがとうございます」

　遠慮すべきと思わないでもないが、二度とないかもしれない至福の時なので、素直に受け容れた茂である。

「ご隣人はお元気かしら」

二杯目を運んできた亮子が、茂に訊ねた。

「シンプソンさんなら、いつもお元気です。きょうはお出かけのようですが」

「そう。近くなのに訪ねて下さらないから、気になって」

亮子のその言い方から、茂は感ずるところがあった。もしや、存外、気軽に天人のことを話してくれるのでは、と。

「あのう……」

どう切り出したらよいものか、茂は言いよどんだ。

「何かしら、茂くん。わたくしにお話しになりたいことやお訊きになりたいことがおありなら、何でも仰って」

「実はぼく、シンプソンさんのことを、天人と称んでいます。天人もぼくのことは、茂と。年齢は離れていても、ぼくらは友達になりました。自然とそうなるよう、天人が接してくれたからです」

「『西国立志編』の中の一節の実現ですね。〝英人貴賤長幼男女を論ぜず〟。でも、日本ではまだめずらしい関係ですわ」

茂は目を丸くした。亮子の学識は尋常ではないと松本順から聞いてはいるものの、それが血肉となっていなければ、こんなふうに打てば響くように応じられるものではない。

サミュエル・スマイルズの『自助論（Self Help）』を翻訳したものが『西国立志編』であり、日本では新時代の生活理念の書として、発刊当時、福沢諭吉の『西洋事情』と並ぶベストセラーになった。

茂は、幕末の大儒者・佐藤一斎の孫娘である母・士子とも、学問や書物を話題にするが、怖い相手なので緊張を強いられる。同様の話題でも、亮子と語り合えると思うと、心が躍りだしそうだった。

だが、いまは学問や書物を論ずるために、茂は天人とのことを語りだしたわけではない。ふたりのこれまでの関わりを話した上で、亮子にも天人との本当の関係を明かしてほしいとお願いするつもりなのだ。

「ぼくが天人と初めて会ったのは五年前の夏、場所はここ大磯の小淘綾浦でした」

それから茂は、夢中で口を動かした。

亮子は聞き上手でもあった。茂の話をいちども遮ることなく、それでいて表情は豊かで、相槌の打ち方も絶妙であり、話し手の気分を昂揚させてくれる。茂の舌は一層滑らかになり、天人とは関わりない自分の初恋の顚末まで語ってしまった。

それでも、山県有朋の命を救ったが他言無用と口止めされた一件と、シンプソン家の家令のマイクが明かしてくれたアメリカにおける天人の来し方については秘した。やむをえなかったとはいえ天人が人を殺したり、マイクの一家が悲劇に見舞われたりしているからだ。

　そして、茂は最後に、招仙閣で元勲たちが酒宴を催したあの夏の夜のことを、正直に告白した。

「ぼくは、散歩していて、偶然にも天人と夫人を見てしまったのです」

　大山巌陸軍大臣が泥酔の黒田清隆逓信大臣を担いで浜辺へ現れると、汀に佇んでいた天人と亮子は、陸相と随従の兵らに見つからぬよう、走って松林の中へ逃げ込んだ。そのさい、天人は亮子を背負って走った。

「盗み聞きをするつもりはなかったのですが、松林の中のおふたりの会話も聞いてしまいました」

「さようでしたか」

　亮子は、ゆっくりとうなずいた。穏やかな表情のままだ。

「わたくしとシンプソンさんは……」

　そこで亮子は言葉を切った。

「茂くんの前では、わたくしも天人と称びましょう」

　微笑む亮子である。

「だけど、わたくしたち、あのとき何を話したのかしら」

「横浜を思い出すとか、天人が夫人を救えなかったとか、自分たちは子どもだったとか……」

「よく憶えておいでだわ」

「憧れのひとのことですから」

考えもせずに、すんなり口にしてしまってから、茂は動揺する。

しかし、亮子のほうが、茂の思いとは異なる受け取り方をしてくれた。

「茂くんは天人のことが大好きなのですね」

「はい」

亮子の語尾に被せるくらい、焦って茂は返辞をした。「憧れのひと」の本意をごまかすためだ。

「天人はわたくしとの関わりを明かしてくれなかったのですか」

「ぼくのほうが、あの夜のことは話してないのです。お相手が大臣夫人ですから、訊いてはいけないことのような気がして」

「そうですわね。お訊きになっても、天人は話さないかもしれません。いまの茂くんと同じように、わたくしの立場を気遣うでしょうから。そんな必要はありませんのに」

「では、お話しいただけるのでしょうか」

「わたくしには何の差し障りもありません。当時は必死でしたが、あとから思い起こすたび、わくわくするのです」

両手を胸にあて、華奢な頸を立てて、窓のほうを見やった亮子である。

茂は、そのたおやかな姿に見惚れながら、亮子の思い出話に聞き入った。

数え九歳で、新橋の芸者屋の柏屋で年季奉公を始めた亮子は、連日連夜の苛酷な労働と芸事の稽古に、それでも堪えに堪えた。貧しい暮らしの中、病身でも働き詰めの母と、その面倒をみる姉を助けたい一心だった。なんとしても稼げる芸者にならねばならない。

真夏の暑熱にぐったりしきっていた十一歳のある日、柏屋の馴染み客のお大尽がアイスクリームという氷菓子の話をしているのを聞いた。横浜のアイスクリーム・サロンというところで一度だけ口にしたそうで、白くて冷たくて甘くて、この世のものとは思われぬほど美味であり、夏に食せば身心が生き返るという。亮子は、食べてみたいと切望するあまり、夢にまで見るようになった。

残る暑さも厳しい日、洗濯途中の井戸端の木陰で眠りこけてしまい、お亀という女中の怒声で目覚めた。

「あんたなんかには一生口にできるものじゃないんだよ、アイスクリームなんてのは」

と井戸水をぶっかけられた。どうやら亮子は、寝言(ねごと)でアイスクリームと呟(つぶや)いたらしかった。

夢を見ることさえ許されないのか。かっとなった亮子が、釣瓶(つるべ)を投げつけると、お亀はその場に倒れて動かなくなった。不運にも頭に命中したのだ。

殺してしまったと思い込んだ亮子は、恐ろしくなって、裏手から逃げた。

母と姉のもとへは戻らなかった。奉公を全(まっと)うできず、人殺しまでしたこんな不孝者では合わせる顔がない。

(死のう)

と泣きながら覚悟する。

同時に思った。死ぬ前にアイスクリームを食べたい、と。自身の末期(まつご)の願いだ。

亮子は、横浜をめざして、幕末の東海道を上った。

女児のひとり旅など見過ごしにされるものではないが、幼い頃からの貧窮(ひんきゅう)の生活と芸者屋奉公によって知恵のついている亮子は、途次(とじ)で盗んだ柄杓(ひしゃく)一本を手に、伊勢(いせ)神宮への御蔭参(おかげまい)りの一行に紛(まぎ)れ込んだ。老若男女(ろうにゃくなんにょ)が無銭(むせん)で着の身着のまま、施(ほどこ)しを受けるための柄杓のみを携帯するのは、御蔭参り道中のひとつの風俗だった。だから、食べ物も入手できる。

江戸から七里(り)の神奈川宿(かながわじゅく)のあたりで、日が暮れた。さすがに、宿泊となれば、御蔭参りの人々からも不審がられ、ひとり旅が露見してしまう恐れがあるので、もう少し先へ進んだ。

野宿する場所のあてはつけていた。御蔭参りの者らの会話の中に、富士の人穴とやらが出てきたのだ。神奈川宿の次の程ケ谷宿の手前に、柴生という村があって、そこの浅間神社に、富士山麓まで通じる洞穴が二つあるそうなのだが、ここを覗くと地獄に落ちるといわれ、誰も近づかないという。死を覚悟している亮子は、怖いとは思わない。

柴生村に達し、浅間神社の杜へ入って、富士の人穴へ寄っていくと、思いも寄らず、一方の洞穴に悪相の先客が三人いた。

「この娘は二、三年もすりゃあ、大層な上玉になるぜ」

人さらいの男どもだった。こういう手合いに乱暴されるのは、みずから命を絶つより恐ろしい。

ところが、もう一方の洞穴から、迅影が飛び出してきて、男たちの股間を木切れで撲りつけ、かれらを立ち上がれなくしてから、亮子の手をとって走りだした。

「どっちだ」

街道上へ出るや、助け人は訊いた。亮子と年齢が変わらないだろう男の子である。あるいは、ちょっと歳下かもしれない。

「どっちって、何のこと」

「お前の家だ」

「お江戸」

「お前、江戸からここまでひとりで来たってえのか」

「横浜へ行くから」

「何しに」

「アイスクリームを食べたい」

「どうして」

「どうしてって、食べたいから食べたいの」

「そりゃあ、おれだって食ってみてえけど」

「知ってるの、アイスクリーム」

「メリケンの冷てえ菓子だろ。小判で何両もするんじゃねえか」

メリケンとはアメリカのことだ。

「実ァ、おれも横浜へ行くとこなんだ」

「えっ、住んでるの」

「船でメリケンへ渡るのさ」

「ひとりで渡るつもり」

「おれは天涯孤独ってやつだからな。あっちで一旗揚げるんだ」

「あんたみたいな子、初めて」

「こっちもだ」

「あたし、亮子」

「おれは天人だ」

ふたりは夜道を足早に歩きつづけた。月明かりがあるから大丈夫だ、と天人が請け合ったのだ。

「無理して話すこたあねえ」

道々、亮子が自分の身の上を語り始めると、天人に遮られた。やさしい子だ、と亮子の心は温かくなった。

「同情してもらいたいわけじゃないの。ただ話したいだけ」

「なら、勝手にしな」

亮子は、おのれの出自だけでなく、いまは芸者屋の半玉であることも、江戸出奔の経緯も明かした。ただ、死ぬ覚悟でいることだけは言わなかった。

「思うさま話せたか」

聞き終えたあと、天人はそう訊いた。

「うん。聞いてくれて、ありがとう」

「おかしなこと考えるんじゃねえぞ」

と天人が付け加える。亮子の覚悟を看破したのだ。

「お前が殺したと思ったその女中は死んじゃいねえよ。気絶しただけだ、きっと」

「どうしてそんなふうに言えるの」

「見慣れてるからかもな、喧嘩や殺しを」

さらり、と天人は言った。

「天人はどんな世界で……」

「物心ついたころには江戸の浮浪児で、まわりから天人って称ばれてた。一日を生きるためだけの、つまらねえ毎日さ。だから、何もねえよ、話すことなんか」

亮子が想像するに、自分より天人のほうがはるかに悲惨で苛酷な日々を送ってきたに違いない。死にかけたこともあるのではないか。

「ひと休みしようぜ」

「じゃあ、ちょっとだけ」

野毛のあたりの雑木林の中で、ふたりは休息をとった。

だが、亮子は朝の光で目覚めた。寝入ってしまったのだ。木枝と草葉を巧みに結びつけたものが、掛け具代わりに体にかけられていた。

「これ、天人が……」

「独りで生きてりゃ、自然といろんなことができるようになるものさ」

そう言いながら、天人が亮子の顔の前へ何やら差し出した。真桑瓜だ。

どうやったものか、刃物もないのに、真っ二つにしてある。それ以前に、真桑瓜をどこから盗んできたのか。

「食え。甘いぞ」

果実の真ん中の細かい種を、天人が指で掻き出してくれた。

亮子は何も訊かず、むしゃぶりついた。果汁の飛び散った手も舐め回す。

「おいしい」

「そうか。美味えか」

天人が破顔した。裏通りで生きてきた人生であろうに、少しも暗さを感じさせない笑い顔に、亮子は一瞬、心を奪われた。

睡眠と甘味と水分で元気を回復した両人の足送りは、捗った。横浜はもう近い。

「天人はメリケン行きの船にどうやって乗るの」

「いいことを伝え聞いたんだ。横浜に住んでるスミスとかいうメリケン人が、近いうちに、日本の曲芸師の一座をあっちへ連れていくらしいってな。おれは、その一座に潜り込むつもりなのさ」

「天人ならできそうね」

「亮子。お前も一緒にメリケンへ渡るか」

「えっ……」

自分が異国へ行くなど想像したこともない亮子である。

「まっ、考えときな」

亮子と天人が訪れた頃の横浜は、幕府がわずか三ヶ月の突貫工事で造った開港場(かいこうば)を、幾年にもわたって必要に応じて拡張整備を繰り返すばかりで、本格的築港(ちっこう)も、石造りの西洋館建築や公園造成も、日本大通りの設計なども、いまだ成されておらず、明治の近代的な町とは随分(ずいぶん)と様子が異なる。

それでも、橋の袂(たもと)の関門(かんもん)の前に立って、横浜という島状(しま)の開港場を運河越しに眺める亮子と天人には、驚きの景観だった。

「異国だ」

と天人が洩(も)らし、

「うん、日本じゃない」

亮子も声を弾(はず)ませた。

北側の海と、川と運河とで人工的に囲まれた開港場の中には、白や赤の二階建ての大きな家やら、縦(たて)に長い沢山(たくさん)の窓やら、見たこともない形の建物が並んでいる。

当時は、幕府が開港場の建物に木造以外の使用を許可しなかったので、外国人たちはナマコ壁を代用として、西洋風に寄せているのだが、もとより亮子らの知るところではない。

港の向こうには海が広がり、停泊中の異国船も数多く、まことに新鮮な情趣をおぼえた。

「まずはアイスクリームだ」

「すごく高価なんでしょ。あたしたちじゃ買えないわ。その前に、お関所があるから、島へ渡れないし」

開港場へ出入りするには、橋袂の関所で許可を得なければならない。

「なんとかなるさ。島に住んでる日本人を見つけて、くっついて行きゃあいい」

開港場では、運上所を中心に、以東が外国人居留地、以西を日本人居留地としている。

「天人。ついてきて」

いきなり、亮子がそう言って、二人連れの洋装の女たちの五、六間ばかり後ろについた。

「あのふたり、遊女よ」

と亮子は小声で天人に告げた。

「どうして分かる」

「着こなしが下手だもの。異人を相手にするから、あんな恰好してるだけよ」

「そうなんだ」

横浜に遊廓があることは、天人も聞いてはいたが、遊女か否かなんて見分けはつかない。

二人の女は、関所の役人と二言、三言交わしてから、関内へ入り、橋板を鳴らし始めた。

「待って、姐さん」

女たちには聞こえないくらいの声を発しながら、亮子が小走りに進んだ。天人もつづいた。

「娘。停まれ」

役人に咎められた亮子だが、

「あたし、お供の半玉よ。早く行かないと姐さんたちに叱られちゃうじゃない」

と蓮っ葉な言い方をして、大胆にも役人を睨んだ。

「これは、すまなんだ。早う行け」

役人はいささかも疑わない。

「この子は下男よ。早くいらっしゃい、しょうた」

しょうたと呼ばれた天人は、役人に向かってぺこりと頭を下げてから、亮子のあとを慕う。

「お前、大したもんだな」

「だてに芸者屋奉公はしてないわ」

くすりと笑い合う亮子と天人だった。

開港場へ踏み入ってからは、ふたりにとっては見るもの聞くもの何もかもめずらしくて、そのたびに立ち止まるので、あっと言うまに時が経ってしまう。

波止場まで出て、異国船も間近に眺めた。

「いけねえ、アイスクリーム・サロンを探さねえと」

屈強な三人の男に囲まれたのは、このときである。

亮子が息を呑み、おもてを恐怖に引き攣らせた。

「安食組の……」

新橋の芸者屋が、自分たちでは対処しきれない問題が起こったとき、その解決を依頼するのが安食組である。

こんなに早く居場所を知られ、発見されるなど、亮子には予測できなかった。

実は柏屋の女中のお亀は軽傷で、亮子がアイスクリームを食べたがっていたことを、安食組の者らに告げたのだ。それを亮子はあとで知る。

「半玉とは申せ、狭斜の世界では足抜がどれほどの罪か、存ぜぬわけではあるまいに」

　三人の中の頭立つ者が、ねっとりと言った。狭斜の世界とは花柳界のことで、芸娼妓が前借金を済まさず逃げることを足抜という。

「おれが相手だ」

　天人が亮子と男たちの間に立った。

「だめよ、天人。そのひと、御家人くずれで、強いの。殺されちゃう」

「御家人くずれとは、ご挨拶だな」

　頭立つ者の口角の一方が、にたりと上げられた。

「小僧。自分を殺した相手の名も知らぬでは、あの世で成仏できまい。猪子玄番允だ」

「逃げろ、亮子」

　叫ぶなり、天人は、躊躇いなく、低く頭から玄番允の腹へ突っ込んだ。が、難なく受け止められ、足払いで地へ叩きつけられた。

　玄番允は、天人の顔といい、体といい、容赦なく踏みつけにする。ひと蹴り、ひと蹴りが強烈だ。

「やめて、猪子さま。お願い」

「おれは、こういう生意気ながきが嫌いなのだ」

玄番允の蹴りは、一層、激しくなる。

「舌を嚙みます」

亮子は、おのが舌を出し、上下の歯で挟んでみせる。本気だった。

ようやく玄番允は蹴りをやめる。

「情の強い娘だ。いい芸妓になるだろう」

あとの男ふたりが、亮子の両腕をとった。

虫の息とみえる天人のようすをたしかめたい亮子だが、寄ることも許されず、そのまま連れ去られてしまう。

（生きて、天人。きっと生きてね。生きている天人と再会できるまで、あたしも決して死なないから）

代わりに、誰かが泣いていてくれている。横浜港の沖合から流れてきた汽笛の音は、亮子の耳にはそう聞こえた。

「夫人も天人も、たいへんな目に遭われたのですね」

聞き終えた茂の第一声は、震えた。涙がこぼれそうだ。

以前、松本順が明かしてくれた亮子の半玉時代のことで、いちどだけ柏屋を逃げ出したという一件に、これで具体性が伴った。

同様に、天人に関しても、マイクが天人自身から聞いた子ども時代の出来事に無理なくつながる。日本人曲芸師の一団が横浜港から船でアメリカへ渡ると聞き及んで、自身も便乗すべく横浜へ出たのだが、乗船前に悶着を起こして、それが叶わなかったという。

また、天人と亮子の関係はただならぬものなのではないか、という想像はあながち間違いではなかったとも、茂には思えた。出会いから別れまでたった二日でも、純情な少年と少女が終始、互いを命懸けで守り合う道行だったのだから。

「夫人は、天人が生きていると、いつ知られたのですか」

「陸奥の駐米公使時代でした。きっとあちらの新聞に載ったわたくしの写真を、天人は見たのでしょう。ワシントンの公使館の夜会に来てくれました。けれど、ベランダとお庭とに立って、寸刻、見つめ合っただけなのです。近寄ったり、言葉を交わし合ったりすれば、わたくしが泣いてしまう、夜会を主催する公使夫人に醜態を晒させてはいけない、と天人は思いやってくれたに相違ありません。それだけで天人は立ち去りました」

「では、本当の再会は、ぼくが目撃したあの夏の大磯の浜辺」

「仰るとおりよ」

「何もかも正直にお話し下さり、夫人には衷心より感謝申し上げます」

「大仰ですことよ。わたくしは、茂くんと共通の敬愛する友人の思い出話を聞いていただいただけです」

茂は、亮子への憧憬をいよいよ強くして、聴漁荘を辞した。

東小磯の別荘地から八坂社の横へ抜ける道を往く足取りも、自然と軽くなる。

松並木の三叉へ出たところで、思いがけない人物に出くわした。

（さっきの留吉っていう……）

岩井三郎に捕縛されて駅へ向かったはずだ。

（逃げたんだ）

両手首に巻かれた紐が切れており、右手に匕首を持っているではないか。

留吉は後ろを振り返った。足音が聞こえる。

途端に、留吉が飛びかかってきて、茂は背中に貼りつかれ、匕首の切っ先を脇腹へ突きつけられた。

あまりの恐怖に、茂は身を強張らせる。

「やあ、茂」

のんびり声をかけながら、こちらへ走ってくるのは、天人だった。

「停まれ。それ以上、近寄ったら、このがき、殺すぞ」

留吉に威され、天人は立ち止まった。茂とは三メートルばかりの隔たりだ。

「これはパナマ帽というのです。素敵でしょう。その子と交換しませんか」

被っている真っ白なパナマ帽を、天人は脱いだ。

「てめえは、ひとの命を西洋帽子なんぞと取り替えようってえのか。酷え野郎だ」

「不承知ですか」

「不承知に決まってんだろ」

「じゃあ、ただで差し上げます」

投げられたパナマ帽は、くるくる回りながら、留吉の顔をめがけた。

留吉が思わず首を竦めながら、匕首を振り上げた瞬間、一挙に間合いを詰めた天人は、右の拳を繰り出している。

茂も首を傾け、天人の拳が留吉の顔面を捉えやすいようにした。なぜか、とっさに体が反応したのだ。天人とともに幾度も修羅場をくぐったおかげかもしれない。

留吉は膝からガクンと崩れ落ちた。

「茂。素晴らしい動きです」

そこへ岩井三郎もやってきて、

「三人とも倒したのですか」

と天人に訊かれる。

「やくざ者の喧嘩のやり方には慣れてるものでね」

岩井が捕縛した留吉を大磯駅まで連れていくと、折しも停車場へ入ってきた下り列車より、武州八王子の加住一家の者ら三人が降車した。かれらは賭場の借金を踏み倒して逃げた留吉を追っていたのだ。

改札の外で三人と岩井が揉み合っている隙に、留吉は加住一家のひとりが取り落とした匕首を拾って逃げる。

そのとき、改札を抜けてきたのが天人だった。岩井から、あいつを捕まえてくれと頼まれ、天人が留吉を追ったというのが、事のあらましである。

「シンプソンさん。あんたには借りができた。おれは探偵だ。探偵が必要なときは、何でも申しつけてくれ。一度目だけは、返礼代わりに、報酬なしでやらせてもらう」

「憶えておきましょう。けれど、一度目からお金は払います」

「あんた、上得意になりそうだ」

岩井は、落ちている匕首を拾ってベルトに差してから、肩に留吉の体を担ぎ上げるや、じゃあなと言って去っていった。

「天人。ぼく、たったいま聴漁荘で、亮子夫人から、天人と夫人のこと、詳しく聞いた」

「そうでしたか」

「何の気兼ねもいらないから、いつでも訪ねてきてほしいって。ぼくも一緒でいいそうだよ」

「こんどジャックに、大臣の栄養になる料理を作ってもらって、茂とわたしで聴漁荘へ届けましょう」

「賛成」

手を拍つ茂である。

「天人。なんか、ぼく、泳ぎたい気分だな」

「では、明日は朝から照ケ崎へ」

「田辺くんにも言っておくよ」

天候不順の夏が、茂にとっては一転、順気の夏になった気分である。

「遊ぶぞ、めいっぱい」

宣言して、茂は駆け出した。

〈第十二話　了〉

PHPの本

パシヨン

川越宗一 著

人はなぜ争うのか――
禁教下での最後の日本人司祭・
小西マンショを軸に、
迫害する側、される側、
双方について描いた
圧巻の歴史小説。

水庭れん

Mizuniwa Ren

ズレに折り合いをつけて生きていく物語にしたかった

取材・文＝末國善己／写真＝遠藤 宏

小説現代長編新人賞を受賞した、水庭れんさんの『うるうの朝顔』は、不思議な朝顔に導かれ、過去に向き合う人々を描いた連作短編だ。

各話の語り手たちは、ひょんなことから、霊園事務所で日置凪という青年に出会う。飄々とした雰囲気の凪は、思い詰めた人々に「うるうの朝顔」という不思議な朝顔の種を渡す。その朝顔の花を咲かせた人は、自分の心の「ズレ」の原因となっている過去の場面を追体験できるという。

息子と二人暮らしの母親、既婚者の先輩社員に恋心を抱く青年、幼馴染の訃報を聞いた老人、死んだ担任教師の幽霊が見える小学生など、様々な事情を抱える人々と青年の交流を瑞々しく

『うるうの朝顔』
講談社
定価：1,815円（10％税込）

みずにわ　れん
1995年、大阪府出身。早稲田大学文学部卒業後、現在は出版社勤務。『うるうの朝顔』で第17回小説現代長編新人賞を受賞し、2023年、同作でデビュー。

映し出した本作について、水庭さんにお話を伺った。

自分の無意識を見つめ直したかった

――小説家になろうと思った切っ掛けを教えてください。

水庭　実は、小説家になろうと思ったことはないんです。小説を書いたのは、コロナ禍（か）の間、時間があったというのが大きな理由でした。当時、僕は二十五歳を過ぎて、社会人生活に慣れてきて、周りには結婚したり、子どもが生まれる友人も増えていました。もう二、三年前なら学生気分もあったのですが、もうすっかり大人になったし、後は安定した人生を生きていくのかなと考えていたんです。周囲から結婚や転職は考えていないのとか、仕事はどうなのとか、似たようなことを聞かれる機会も多くなって。自分も世の中にありふれているような他人の言葉やいわゆる一般論を借りて、なんとなく答えている気がしていました。それが居心地悪くて、何を考えているのかを一度整理したいと思って文章を書き始めたのが切っ掛けです。日記にするか小説にするか迷い、自分の無意識を見つめ直したかったので小説を選びました。

――新人賞に応募したのも、作家になりたかったからではないんですね。

水庭　そうです。そもそも完成するか分かりませんでしたし（笑）。書き終わると、ちゃんと一本の小説になっていたので、そこで初めて新人賞への応募を考えました。どこの賞に送ろうか悩んだとき、小説現代長編新人賞が応募の〆切や枚数がぴったりだったので、出してみました。

――それなら、受賞が決まった時は驚かれたのではないですか。

水庭　今もまだ驚いています。一次選考の通過は「小説現代」の誌面で見て、あぁ書いて良かったと思っていました。でも、しばらくして「最終選考に残りました」という電話がかかってきたときは、とんでもないことになったと背中に汗をかきました。

――受賞が決まって周囲の反応はいかがでしたか。

水庭　小説を書いているなんて知らなかった、いつ書いていたのという感じでした。何人かから、小説を書くようには見えないと言われたので、逆に、どんな風に見られていたのか気になりました（笑）。

――好きな作家や影響を受けた作家はいますか。

水庭　たくさんいます。大好きな凪良ゆうさんが小説現代長編新人賞の選考委員に新しく入られると知ったのも、応募の動機になりました。青山美智子さん、辻村深月さん、恩田陸さんなども大好きで、影響を受けていると思います。

――小説現代長編新人賞は長編の新人賞ですが、この作品は全五章の連作短編集になっています。最初から連作短編集として構想されたのですか。

水庭　僕自身、自分が色々な物語をどう書くかを見たかったので、最初から連作短編にしようと考えていました。初めての小説だったので、いきなり長編に挑戦するよりは、短編を積み重ねる方が継続して書けるんじゃないかと思ったのもありました。

人生のズレを調整する〝うるう秒〟

――物語の中心に置かれているのは、咲かせた人に過去を追体験させ、一秒だけ、人生のズレを調整するための時間である〝うるう〟を挿入してくれるという朝顔の種です。うるう秒を生み出す朝顔というアイディアは、どのように思い付かれたのですか。

水庭　あまり覚えていないのですが、アクション映画ではよく残り一秒で時限爆弾を解除したりするじゃないですか。「たとえば、人生のいろいろな場面で、あともう一秒あったら、どんな変化が起きただろう」と考えたことがありました。それを覚えていたので、まずうるう秒というアイディアが出てきました。それと朝顔の花は時計みたいでいいなと思っていたので、その二つを結び付けた感じです。

――物語の冒頭に、朝顔の蔓は「すべて左巻き」なのに、つぼみは「すべて右巻き」になっているとあり、知らなかったので興味深かったです。

水庭　あれは実は後付けで、朝顔を使うと決めてから調べました。全五章ともタイトルに〝toxin〟（毒）、〝spiral〟（螺旋）といった物語のキーワードを入れていますが、すべて朝顔から連想したものです。朝顔の種に毒があると知り、毒というお題ならなにを書こうかと繋げる形で物語を作っていきました。

――「チョコレート」や「印象派」などについて、凪が語る場面も面白かったです。

水庭　もともと興味のある題材を出していますが、使えそうなモチーフは調べて、それが後で別の意味を生む伏線としても利用するようにしました。

――第一章は離婚して子供を育てている千晶の実母への依存、第二章は映画制作会社勤務の国見頼と香椎佐和の恋、第三章は年老いた男鹿三多介の過去の後悔、第四章は墓地で死んだみかげ先生の幽霊を見た小学生ひまりの物語と、各章ごとにシチュエーション、ジャンルが変わっています。そこに必ずうるうの朝顔をからめるのは、大変ではなかったですか。

水庭　各章の登場人物は年齢層に変化を付けるようにしています。うるうの朝顔の存在が物語の鍵になるので、そこを起点に各人物をどうからめていくのかを考えるのは、初めて小説を書く自分にはやりやすかったです。

――書いていて楽しかった章はありますか。

水庭　第四章です。映画会社で働く頼が出てくる第二章などは、自分と登場人物の年齢も近いので、身近な人から膨らませて登場人物を作ったりしていましたが、小学生を主人公にした第四章は参考にする要素が身の回りに多くなく、頭の中で一から考えたので物語と適度な距離が取れました。計算で物語が作れることも分かったので、書いていて楽しかったです。

――凪はクールなメガネ男子というキャラクターでしたが、最近の流行を意識して作られたのでしょうか。

水庭　意識していませんでした。凪は第二章の頼に近い年齢なので、二人のイメージを変えたいと思ったのと、幅広い知識を理路整然と語るのであればどんな設定なら不自然ではないかと考えて作ったキャラクターです。

——凪はうるうの朝顔の種を渡す狂言回しだと思っていましたが、第五章では主人公になって自分の過去と向き合うことになります。

水庭　凪の物語を書かないと、連作として終われなかったです。第四章まではは先にプロットを決めていましたが、第五章はそこまでを書き終えてから、最後に考えました。

——プロローグの言葉の意味が、最後のエピローグを読むと分かったり、通して読むと長編としても楽しめる構成も鮮やかでした。

水庭　受賞後に編集の方と相談しながらつめていったところもあり、巧(うま)くまとまったと思います。

矛盾や両面性を見つけていく

——この作品は、広い意味ではタイムリープものになりますが、過去に行けるのが一回だけで、しかも、わずか一秒だけ変わるという設定に独自性がありました。この作品を読んで、一秒は案外長いと思いました。

水庭　そうなんです。一秒あれば大切なことが伝えられるし、反対になにかを失うこともできてしまいますよね。人がなにかを得る、あるいは失うのに意外と充分な時間だと思います。

――各章の主人公は、うるうの一秒を使って人生のズレを修正しますが、過去のトラウマを完全に克服したりするようなお話は少なかった印象です。意図的にビターな結末にされたのでしょうか。

水庭　ズレを扱うと決めた時点で、ズレを完全に解消する話ではなく、人がそれと折り合いをつけながら生きていく姿を書くつもりだったので、自然と苦めの結末が多くなったのかもしれません。

――ただズレを修正した人たちは、少しだけ前向きになりますよね。

水庭　そこは作り手としての願いなのかなと思います。

――どんな人の心の中にも劣等感と優越感のような、対立する感情が並立するということが全体にかかわるテーマのように思えたのですが。

水庭　今となっては、それがテーマといえるのですが、書いている時は意識していませんでした。自分が白か黒かではなくグレーの領域を探っている作品が好きだったり、ある人と別の人では、同じものでも見え方が違うという状況にリアリティを感じたりしているので、自然と矛盾や両面性がテーマに据えられていった感じです。

――今後、どのような小説を書きたいですか。

水庭　ジャンルはあまり意識していませんが、紋切り型にならない物語を書いていきたいです。

わたしのちょっと苦手なもの ⑥

豚肉

今野 敏（作家）

豚肉が苦手だ。

むしろ肉食は好きなほうで、鶏肉も羊肉もよく食べる。牛肉は好物で、三百グラムのステーキをぺろりと食べるし、焼肉やしゃぶしゃぶ、すき焼きも大好きだ。

だが、不思議なことに豚肉だけが好きではない。これは幼い頃からだ。給食では料理の中に混じっているのが嫌で、豚肉だけ丸呑みするなど、ずいぶん苦労した。

その他の好き嫌いはほとんどない。なぜ嫌いなのかと訊かれてもこたえに困る。食べ物の好き嫌いに理由などない。ただ、嫌なのだ。

じゃあ、絶対に食べられないのかというと、そうでもない。空手の用事などがあり沖縄によく行くのだが、沖縄料理には豚肉が多用される。ラフテー（豚バラ肉の角煮）やスーチカ（豚バラ肉の塩煮）などは普通に食べている。

さらに言えば、加工された豚肉のソーセージやハムはむしろ好物だ。世界中どこに言ってもソーセージさえあれば生きていけると本気で思っている。

おそらく脂身が苦手で、バラ肉の見た目がダメなのだろうと思う。だから、ヒレカツなどはそれほど抵抗なく食べる。

先刻、豚肉嫌いは幼い頃からだと書いたが、その頃はかなりの偏食だった。だからひょろひょろしていて体力もなかった。好き嫌いがなくなったのは、高校の寮に入ってからだ。食べ盛りでやたらに腹が減る。好き嫌いなど言っていられないのだ。

寮の食事のおかげで何でも食べられるようになった。実は、豚肉もそれほど苦手意識なく食べていたのだ。

六十歳になったとき、ある事情で赤い肉を控えた。別に宗教上の理由などではない。健康上の事情だった。何年か肉といえば鶏肉だけという生活だった。

月日が経ち、すべての肉食を再開できるようになった。牛肉が食べられるようになり、おおいに喜んだし、道産子（どさんこ）のソウルフードのジンギスカンも楽しんだ。吉野（よしの）では猪鍋（ししなべ）もおいしくいただいた。ところが、豚肉だけ食べる気になれなかった。

幼い頃の豚肉嫌いが復活したのだ。自分でもちょっと意外だった。年を取ると幼児期に戻るとも言われている。再び豚肉が苦手になったのは、そのせいかもしれないとも思っている。

こんの・びん　1955年北海道生まれ。作家。上智大学在学中の78年に「怪物が街にやってくる」で問題小説新人賞を受賞。2006年『隠蔽捜査』で吉川英治文学新人賞、08年『果断　隠蔽捜査2』で山本周五郎賞、日本推理作家協会賞、17年「隠蔽捜査」シリーズで吉川英治文庫賞を受賞。

字数と賞

一般の部………字数:2,000字(400字詰原稿用紙5枚)以内
大賞1編(副賞20万円)、優秀賞3編(副賞5万円)、佳作5編(副賞1万円)

中学生の部……字数:1,200字(400字詰原稿用紙3枚)以内
大賞1編(副賞1万円)、優秀賞3編(副賞5千円)、佳作5編(副賞3千円)

小学生の部……字数:800字(400字詰原稿用紙2枚)以内
大賞1編(副賞5千円)、優秀賞3編(副賞3千円)、佳作5編(副賞2千円)
※中学生・小学生の部の副賞は図書カード

選考委員

選考委員長:山極壽一(総合地球環境学研究所所長・人類学者)
茂木健一郎(脳科学者)/中江有里(女優・作家・歌手)/田中恆清(石清水八幡宮宮司)
寺田昭一(月刊誌「歴史街道」特別編集委員)/堀口文昭(八幡市長)

応募方法

応募締切 令和5年9月21日(木) 必着

作品とは別の用紙に、作品タイトル・氏名(フリガナ)・年齢・性別・職業・学校名と学年(小中高生の場合)・郵便番号・住所・電話番号・この賞を何で知ったか・(お持ちの場合は)Eメールアドレスを明記し、必ず作品に添付して「郵送」「ホームページ内所定フォーマット」又は「Eメール」のいずれかで下記へご応募ください。

【宛先】「徒然草エッセイ大賞」事務局
〒614-8501 京都府八幡市八幡園内75 八幡市政策企画部生涯学習課
【電話】075-983-3088 【E-mail】yawata@tsurezure-essay.jp
【HP】 https://www.tsurezure-essay.jp

入選作発表

令和6年2月初旬までに、入選者に結果を通知します。/令和6年2月末までに入選作を発表し、専用HP上で作品名と入選者名を公表します。/授賞式の翌営業日に、専用HP上で入選作品全文を公表します。/大賞3作品は、「文蔵」誌上に採録します。/「入選作品集」を作成し、入選者に提供、図書館等に配布します。

授賞式

令和6年3月16日(土)午後に石清水八幡宮で授賞式を行います。
大賞および優秀賞受賞者には旅費を負担します。
※佳作受賞者は自己負担をお願いします。

第七回 徒然草エッセイ大賞

もの、こと、ひと…何かにワクワク夢中になるとき、
私たちは自分自身に出会っているのかもしれません。
あなたはいま、何にときめいていますか?
どんなときめきがあなたを育て、人や社会に伝わりましたか?
あなたの印象的な「ときめき体験」を文章にしてください。

徒然草と八幡市

兼好法師が、つれづれなるまま、心のおもむくままに綴った、鎌倉末期の著名なエッセイ集『徒然草』。八幡市にある石清水八幡宮(現・国宝)の参詣に臨んだが結局実現できず、「どんなことにも先輩や経験者の助言は必要」と結ばれる第52段は、とりわけ有名です。

◎問い合わせ:「徒然草エッセイ大賞」事務局 〒614-8501 京都府八幡市八幡園内75 八幡市政策企画部生涯学習課 TEL 075-983-3088 MAIL syakaikyoiku@mb.city.yawata.kyoto.jp
◎主催:八幡市、八幡市教育委員会 ◎共催:PHP研究所 ◎協力:石清水八幡宮
◎後援:京都府、京都府教育委員会、歴史街道推進協議会、古典の日推進委員会、八幡市文化協会、(公財)やわた市民文化事業団、(一社)八幡市観光協会、八幡市商工会、八幡市工業会

文蔵

◆筆者紹介◆
9月号

あさのあつこ

54年岡山県生まれ。「バッテリー」シリーズで数々の賞を受賞。著書に、「おいち不思議がたり」「The MANZAI」「NO.6」「弥勒の月」シリーズ、などがある。

小路幸也 しょうじ ゆきや

61年北海道生まれ。02年『空を見上げる古い歌を口ずさむ』で第29回メフィスト賞を受賞。著書に「東京バンドワゴン」「花咲小路」シリーズなど。

瀧羽麻子 たきわ　あさこ

81年兵庫県生まれ。２００７年『うさぎパン』でダ・ヴィンチ文学賞大賞を受賞し、デビュー。著書に『ありえないほどうるさいオルゴール店』『博士の長靴』など。

寺地はるな てらち　はるな

77年佐賀県生まれ。14年『ビオレタ』で第4回ポプラ社小説新人賞を受賞。著書に『川のほとりに立つ者は』『水を縫う』『ガラスの海を渡る舟』など。

西澤保彦 にしざわ　やすひこ

60年高知県生まれ。95年に『解体諸因』でデビュー。著書に『七回死んだ男』『パラレル・フィクショナル』、「匠千暁」「腕貫探偵」シリーズなど。

宮部みゆき みやべ　みゆき

60年東京生まれ。『理由』で直木賞を受賞。『〈完本〉初ものがたり』『あかんべえ』『ぼんくら』『桜ほうさら』『この世の春』『きたきた捕物帖』など著書多数。

宮本昌孝 みやもと　まさたか

55年静岡県生まれ。『天離り果つる国』で、『この時代小説がすごい！　22年版』の単行本部門第一位を獲得。著書に、『剣豪将軍義輝』『ふたり道三』『風魔』など。

村山早紀 むらやま　さき

63年長崎県生まれ。『ちいさいえりちゃん』で毎日童話新人賞最優秀賞、椋鳩十児童文学賞を受賞。代表作に「コンビニたそがれ堂」「桜風堂ものがたり」シリーズなど。

文蔵◆バックナンバー紹介

Vol.185 2021年11月
〈ブックガイド〉**再発見！「短篇小説」の魅力**
●新連載小説 **坂井希久子**「セクシャル・ルールズ」（〜2022・10）

Vol.186 2021年12月
〈特集〉**特殊設定ミステリが面白い**

Vol.187 2022年1・2月
〈ブックガイド〉**「ものづくり」小説を堪能しよう**

Vol.188 2022年3月
〈特集〉**「小説カフェ」で一休み**
●新連載小説 **高嶋哲夫**「首都襲撃」（〜2023・5）

Vol.189 2022年4月
〈ブックガイド〉**「桜小説」で、春を味わう**

Vol.190 2022年5月
〈特集〉**「ヘタレ」な主人公が愛おしい**
●新連載小説 **宮本昌孝**「松籟邸の隣人」

Vol.191 2022年6月
〈特集〉**平安時代の小説が刺激的**

Vol.192 2022年7・8月
〈ブックガイド〉**動物と小説でふれあおう**

Vol.193 2022年9月
〈ブックガイド〉**小説で「お金」を考える**

Vol.194 2022年10月
〈特集〉**いま読み始めたい文庫シリーズ小説**

Vol.195 2022年11月
〈特集〉**図書館、博物館小説で文化を味わう**
●新連載小説 **福澤徹三**「恐室　冥國大學オカルト研究会活動日誌」（〜2023・7・8）

Vol.196 2022年12月
〈特集〉**山口恵以子デビュー十五年の軌跡**
●新連載小説 **小路幸也**「すべての神様の十月㈢」

Vol.197 2023年1・2月
〈ブックガイド〉**新世代のミステリー作家に大注目**

Vol.198 2023年3月
〈特集〉**「建物」が生み出す物語**
●新連載小説 **西澤保彦**「彼女は逃げ切れなかった」
●新連載エッセイ わたしのちょっと苦手なもの

Vol.199 2023年4月
〈特集〉**二刀流作家の小説が面白い**

Vol.200 2023年5月
〈特集〉**あさのあつこ その作品世界の魅力**

Vol.201 2023年6月
〈特集〉**時代を映す「青春小説」**
●新連載小説 **瀧羽麻子**「さよなら校長先生」

Vol.202 2023年7・8月
〈特集〉**ジョブチェンジ小説で未来を拓け**
●新連載小説 **村山早紀**「桜風堂夢ものがたり２」

※創刊号（2005年10月）〜Vol.172（2020年7・8月）は品切です。

目次は文蔵HP **[https://www.php.co.jp/bunzo/]** でご覧いただけます。

PHP文芸文庫

転職の魔王様

額賀 澪 著

この会社で、この仕事で、
この生き方で――
本当にいいんだろうか。
注目の若手作家が、
未来の見えない大人達に捧ぐ、
最旬お仕事小説！

ＰＨＰ文芸文庫　文蔵 2023. 9

2023年８月31日　発行

編　者	「文蔵」編集部
発行者	永田貴之
発行所	株式会社ＰＨＰ研究所
東京本部	〒135-8137　江東区豊洲5-6-52
	文化事業部　☎03-3520-9620（編集）
	普及部　☎03-3520-9630（販売）
京都本部	〒601-8411　京都市南区西九条北ノ内町11
PHP INTERFACE	https://www.php.co.jp/
制作協力 組　版	朝日メディアインターナショナル株式会社
印刷所 製本所	図書印刷株式会社

ISBN978-4-569-90334-7